L'exquise saveur de l'ennui

Roger Remacle

L'exquise saveur de l'ennui

Roman

LE LYS BLEU
ÉDITIONS

La Repubblica
Violences programmées à Palerme et à Agrigento

En ce 19 septembre, Giuseppe Calascibetta, 60 ans est à nouveau chez lui, dans le quartier Oreto à Palerme. Il s'agit du chef de district de Porta Nueva, non loin de la via Santa Maria di Gesu. Condamné à une peine de 10 ans d'emprisonnement pour association maffieuse, il est à présent libéré. Il fut impliqué dans le procès concernant le massacre de la via d'Amelio où a été assassiné le magistrat Paolo Borsellino. Le magistrat succomba lors d'un attentat à la bombe malgré l'imposante escorte qui le protégeait et malgré un message envoyé par la maffia à l'État. Le terrorisme étant le stade ultime de la violence politique : la maffia parle à l'État avec les bombes.

Ce 19 septembre également, de l'autre côté de l'île, l'affrontement de deux familles maffieuses – les Volpino et les Moranzano – pour le contrôle de la vente de la drogue dans la région de Ribero – se solde par la liquidation extrêmement brutale du clan Volpino. Le parrain Volpino a été froidement abattu dans sa ferme-refuge, dans les collines de Fumalerolo. À ses côtés gisait le corps sans vie de Cathérina, son épouse. Nunziata, la fille cadette, est introuvable. On est sans nouvelles de Daniello, le fils Volpino, ni de la fille aînée Roberta qui ne semblaient pas présents lors du massacre. (NDRL : Des sources bien informées laissent planer les soupçons que Moranzano, dit la « Bestia », est lié à cette nouvelle vague de violence.)

À Ribero, pas de bombes, mais une barbarie hideuse !

1

Voilà quelques mois qu'il avait quitté l'Europe du Nord pour emménager en Sicile. Il vivait désormais dans une grande propriété semi-abandonnée, ses journées s'écoulaient dans une opulente oisiveté délibérée, sans qu'il y ressente la moindre culpabilité. Il pensait à ces personnes âgées, dans les homes, celles que l'on oubliait le matin devant une fenêtre, dans un fauteuil et que l'on récupérait à midi pour le repas ; de temps à autre, une aide-soignante s'inquiétait, remontait le plaid sur les genoux :

« À quoi pensez-vous ? »

Et imperturbablement, elles répondaient :

« À rien ! »

Lui, il flânait sur la terrasse ombragée de sa maison en pensant aux raisons qui l'avaient conduit jusqu'ici. Cette île, citadelle plantée dans le flanc sud de l'Europe, l'avait séduit. Un ami la lui avait recommandée en ces termes :

« Vas-y, le vin est bon, la nourriture excellente, les paysages fantastiques et les femmes singulièrement jolies ».

C'est vrai que le vin fruité, charpenté, se laissait boire sans rechigner et conviait à la sieste, la nourriture était très variée, particulièrement du côté sucreries. Les paysages et les femmes ne manquaient pas de charme : il y était très sensible, mais il n'y avait pas que cela ; il y avait aussi la chaleur, une chaleur intense, pesante, oppressante, qui invitait respectueusement à la nonchalance. Les vestiges grecs, romains, carthaginois, normands, espagnols qui pullulaient sur l'île pouvaient attendre, les innombrables églises de toutes époques, que l'on trouvait à chaque coin de rue, se passeraient bien de sa visite. Il avait rayé de sa vie les sœurs de Monica Belluci, les cousines de Gina Lollobrigida ; rien que les regarder demandait trop d'énergie, réalisait-il. Il ne faisait jamais assez chaud pour un Sicilien. Il avait cru que les Siciliens dissimulaient mal une paresse méridionale que la tiédeur déculpabilisait : reporter à demain ce que le soleil interdisait de faire le jour même semblait une devise ; c'était pour lui comme une autorisation à glander qu'il ne s'était jamais accordé. Une chaleur qui bannissait la promenade, mais au contraire une chaleur qui invitait au confinement, au repli sur soi, à la protection vis-à-vis de l'extérieur, et qui, par-delà, ouvrait un espace sur la rêverie ; il y avait dans cet étouffement quelque chose de sécurisant.

Donc, là-dessus, au diable son pays natal, et ses contraintes d'hyperactivités auto administrées.

Et sans savoir pourquoi, ni comment, cet exil en Sicile, apporterait un quelconque éclairage à sa quête, il avait plié bagage, s'y était installé, convaincu d'avoir déniché l'endroit idéal pour affronter l'automne de sa vie.

La première étape consistait en un vaste nettoyage de son cerveau. D'abord effacer ses souvenirs, faire le vide, oublier son passé, brûler ses réminiscences, tout laver, tout jeter. Pas nécessairement pour en recommencer une autre, non, mais pour se débarrasser de son ancienne et peut-être aussi, entamer une ultime purification avant d'en aborder les derniers tournants. Il tirerait un trait sur ce qui l'avait porté et se détacherait sereinement de tout ce qui l'avait jusqu'à présent attaché à la vie. Il négligeait l'option de la mort, non par superstition, mais surtout parce qu'il se sentait encore vigoureux, bien vivant, la sève dans son corps lui donnait une force permanente qui ne semblait pas s'altérer, une vitalité dont il était fier. Il avait le sentiment que cette quête d'oisiveté physique et mentale exigerait de lui l'utilisation de toutes ses ressources.

Ne rien faire lui demanderait beaucoup d'effort, ce qui sous-entendait que la tâche serait rude.

Dieu sait pourtant à quel point il était paresseux. Il a toujours eu le besoin de cette mobilisation pour justifier son existence, gagner son pain quotidien, éviter la culpabilité et la relégation dans la catégorie des fainéants. Éternellement condamné de ne pas en faire assez. Et pourtant il devait reconnaître que ces acharnements répétitifs, soutenus, censés donner cette impression d'homme courageux, alerte, vigoureux à laquelle il ne s'identifiait pas, lui avaient octroyé une puissance de vie qui ne cessait de croître en vieillissant. Secrètement, il se voyait rajeunir en prenant de l'âge, ce qui le faisait rire. Avec mon tempérament de coureur de fond, pensait-il, plus ma destinée sera longue, plus je serai en forme pour la terminer ; mais de quoi vais-je mourir, avait-il confié un jour à son médecin qui s'étonnait de lui mesurer une balance cardiaque aussi lente et des analyses de sang à faire pâlir des sportifs de haut niveau ? L'oisiveté devenait l'épreuve la plus pénible qu'il ait imaginée : elle exigerait de lui toute son opiniâtreté, elle devait être le prétexte qui justifierait la concentration de toutes ses forces et la musculation de son cerveau.

Il devait bien y avoir une raison dans le choix de la Sicile !

Est-il plus facile d'oublier en Sicile ? Est-ce que cette obsession d'enterrer son vécu ne dissimulait pas une fuite en avant ? En éludant tout, il aurait l'impression de se débarrasser de tout, pour se retrouver face à lui-même, enfin, lui, avec lui, comme dans un duel d'un film de Western. Il savait que l'adversaire ne serait pas docile, il devrait apprendre à le découvrir ; vivre avec lui depuis tant d'années constituait une charge. Cet inconnu devait être débusqué, identifié, apprivoisé.

La notion d'oublier apparaissait comme un détour essentiel, purificateur pour se débarrasser des dogmes et fatras qu'une vie avait accumulés. Ce curetage de cerveau lui semblait un passage obligé pour dégager un espace libre pour y actionner des forces vives et découvrir les ingrédients constituant son essence. N'avait-il pas appris que la personne dont on était le plus ignorant était soi-même ? Avoir une bonne perception de soi était primordial pour aborder les réalités de la vie ; en fait, comment prendre une décision correcte pour soi, si on ne connaissait pas l'être qui était en soi ? Comment avoir une opinion, si pour décider, il faut se référer à une personnalité que l'on s'est inventée. Cela se résumait alors à jouer à pile ou face en prenant le risque de se tromper systématiquement. Ne pas se connaître entraînait une telle confusion que ce principe était pour lui la base profonde du monde consumériste. Il se gargarisait de cette découverte dont ses proches se gaussaient ; pour le comprendre, il fallait admettre que cet aveuglement vis-à-vis de soi était prémédité, voulu, fabriqué même et, plus, enseigné. Il régnait un obscurantisme sordide, officiel, doublé d'une instruction préhistorique et rudimentaire, orienté vers des sujets peu utiles au développement personnel ou à la réflexion sur soi, qui oblitérait tout espace susceptible de dégager une volonté sauvage de désirs et de distiller ses propres goûts ; bannie, la conscientisation privilégiant l'aspect pratique du quotidien ; proscrit, la valorisation de la personnalité : rien qu'un broyage fin d'individus engagés dans ce cycle mortificatoire. Un reportage sur l'enseignement dispensé dans un collège pour les enfants nantis de la planète, en Suisse, bien sûr, avait édifié la construction de sa théorie ; cet établissement élitiste comportait un internat obligatoire et des salles de cours où les sommités mondiales, prix Nobel en tête, se succédaient pour inculquer leurs expertises à ces chères têtes blondes. Mais là n'était pas le plus important. Le recteur de cet institut, un ancien colonel, dirigeait l'école d'une poigne de fer. La première rencontre avec le maître des lieux était ahurissante : celui-ci apprenait, avec les outils en main, comment se servir d'un W.C. ! Mine de rien, par ce biais, il mettait en évidence le concept de l'autogestion personnelle : le principe de la soumission du peuple et de la prise en charge de ces masses par une élite trouvait son explication au bout du goupillon. Pour une raison simple : si vous ne vous torchez pas le cul jusqu'au moment où le papier est blanc – et il montrait l'exemple – c'est votre caleçon qui le fera à votre place et ensuite la femme de ménage. Le non-respect de ces règles entraînait les punitions les plus sévères.

Pourquoi nourrit-on les élites de valeurs élémentaires alors que la masse reçoit un enseignement abrutissant ?

La population résiliente après ce lavage de crâne serait constituée d'un vaste troupeau apathique, prêt à exécuter toutes les injonctions qu'on lui dicterait, que ce soit tuer une autre personne dans un contexte de guerre ou apprécier ce qu'on l'obligerait à adorer. La société consumériste exigeait que l'enseignement modélise des citoyens aptes à consommer ; exit les gêneurs curieux. Pour la rendre heureuse, c'est-à-dire servile, il fallait à tout prix injecter, dans ces cerveaux fraîchement moulés, des soupçons de désirs contrôlés et éliminer les curieux qui font désordre avec leurs questions. L'anarchie qui donne légitimité à tous les sujets est dangereuse, elle peut mener au chaos. Il est essentiel de guider la cité. En acquérant une quelconque breloque, l'individu en éprouve une délectation certaine, mais cet assouvissement s'avère être d'une satiété éphémère et demande un renouvellement permanent, d'où la nécessité de créer un éventail de simulacres sous la forme de nouveautés technologiques ou d'amélioration transitoire des objets de consommation. Cette euphorie assimilée au bonheur constitue une course morbide vers l'horreur.

Il affirmait dans la foulée que la mode, la « fashion » étaient des systèmes conçus à l'intention des gens dépourvus d'idées, et que des malins remédiaient à cette lacune en fournissant régulièrement de nouvelles recettes permettant à l'individu de s'identifier, à la personnalité qu'on lui avait instillée afin que ce dernier se sente « in », mais surtout, spolier son portefeuille. Ignorer sa propre conscience était la formule dont il ne fallait absolument pas changer les paramètres. Les médias regorgeaient de recommandations de toutes sortes pour résoudre des soucis personnels ou d'ordre matériel tout en créant en parallèle, artificiellement une ambiance angoissante alarmante. Dans la foulée, une nouvelle génération de conseillers avait fait son apparition : les coachs, il y en avait pour tous les goûts et tous les problèmes, et il faut dire qu'ils ne manquaient pas de matière. À cela s'ajoutait une armée de psychologues doués pour sonder les âmes et remettre ces pauvres hères sur le chemin du bien-être. La société se résumait pour lui en un vaste troupeau lobotomisé qui s'activait à accumuler des richesses qu'une élite décomplexée pillait habilement au passage. Il était simple de comprendre pourquoi le cénacle des personnes aisées devenait de plus en plus fortuné tandis que les démunis étaient de plus en plus miséreux.

14

Il avait bien une petite idée de ce qu'il était, mais l'affirmer lui semblait d'un orgueil incommensurable. Un jour, une amie lui avait dit qu'elle le trouvait intelligent. Il avait ri, incrédule. Le lendemain, rien qu'en y pensant, il riait encore dans le bus qui le conduisait à la société à laquelle il avait proposé ses services lors d'une période de disette financière. Il avait été pris d'un fou rire qu'il avait mal dissimulé. Lui, intelligent... alors que la firme patriarcale qui l'utilisait ne savait que faire de lui et l'occupait en jouant avec lui à la chaise musicale. Les travaux les moins intéressants, les plus ennuyeux, et les plus dangereux lui étaient attribués. Au début, il trouvait cela normal, puisqu'il ne comprenait pas ce que le système attendait de lui ; mais quand il eut saisi le mépris de ses employeurs, il se construisit intérieurement un bunker, une ligne Maginot infranchissable ; dans cette bulle protectrice, il s'était ingénié à inventer les corvées les plus absurdes et les plus rebutantes, ainsi que le mental nécessaire à leur accomplissement. Il se réjouissait à l'idée que l'on puisse lui proposer un travail plus abrutissant, plus vil, car il s'était préparé à des tâches plus abominables encore. Les boulots quelconques devenaient à ses yeux, par ce stratagème, éminemment valorisants ; à un certain moment, on aurait pu lui demander de récurer les corridors ou de cirer les chaussures du personnel : jamais il n'aurait rechigné, tout lui aurait apporté une satisfaction que personne n'aurait pu imaginer, tant sa force intérieure était devenue immense ; mais était-ce de l'intelligence ?

Oublier sa vie n'était pas entreprise banale. La rancœur l'envahissait ; l'indifférence, les déceptions amoureuses, le sentiment d'avoir été utilisé comme une brouette alors qu'il se considérait comme une locomotive, tout cela l'étouffait. Pas facile d'effacer toutes ses blessures, les mesquineries, la course aux maigres avantages, la concurrence avec les collègues. Quand il aurait fait le ménage, il serait plus calme, plus serein, plus détaché, pour penser à lui.

Effacer ses blessures exigerait patience et persévérance, et il avait le curieux pressentiment qu'en Sicile, il aurait du temps pour lui. Il savait que chez lui, en Europe septentrionale, il aurait pu reconstituer cette bulle propice, mais il n'était pas convaincu de la pertinence du lieu. Il avait besoin d'un nouvel environnement pour se dégager des routines, pour vivre sa solitude. Il devait se libérer du quotidien, de tout ce qui ronge une existence ou l'accapare : les corvées, la préparation de la nourriture, le cercle d'amis, les activités. Tout devenait gênant, il fallait s'en débarrasser. Être seul constituait une quête, une espèce de sacerdoce qu'il élevait au niveau d'un art de vivre subliminal.

Maintenant qu'il abordait le virage de ses années d'or gris, il considérait qu'aller au-devant de cette solitude était impératif ; il ne voulait pas que ce soit elle qui le prenne par surprise comme elle l'avait fait jusqu'à présent. Il avait assez de temps pour mettre son projet en exécution afin de se mesurer à ce qu'il imaginait être : un monstre ! La solitude était tout à la fois, un but exigeant le courage, mais aussi le puits où il vomirait toute sa lâcheté, sa paresse de vivre. Simuler l'activité pour cacher son inertie, il ne le voulait plus. La conclusion était simple : donner à son oisiveté des titres de noblesse.

Seul ?

On n'est jamais seul que par rapport à quelqu'un ! La solitude est un rapport à l'autre, découvrait-il, prenant conscience que le soi contient un double ! Mais qui était ce personnage encombrant qui hantait ses réflexions ?

Il n'osait, par manque d'audace, le définir précisément, en tout cas, dans le flou orchestré de son imagination, c'était à peine s'il pouvait en tracer une image fantomatique. Cette réclusion serait l'occasion de lui donner consistance, et Graal suprême, de le rencontrer ; il voulait l'attendre, deviner sa respiration, entendre le silence de ses pas et sentir le frôlement de l'air lors de ses déplacements. Cela faisait beaucoup de monde à découvrir en Sicile, lui tout d'abord et puis maintenant le personnage de la solitude, une inconnue. Tant qu'à faire, pourquoi pas une Sicilienne ! Il souriait.

Au chaud, dans la moiteur, il est aisé pensait-il, de s'abandonner.

Un paramètre décisif de son choix avait été la langue : le sicilien, un mélange d'italien, d'arabe, d'espagnol, de normand, et de français : la somme des miettes que les différents conquérants de l'île avaient abandonnées sur place, un dialecte, utilisé uniquement dans cette partie du monde, ne comportant aucun dictionnaire, constituait le ciment de la structure dont il avait besoin comme paravent. Il aspirait à apprendre l'italien et le faisait entendre à qui mieux, tout en s'étant mis en tête, paradoxalement d'ignorer le sicilien. Il s'explicitait cette machination d'isolement, une de plus, par une manœuvre digne d'un encerclement stratégique. En parlant italien, il pourrait communiquer avec qui bon lui semble. En ignorant le sicilien, il se réfugiait dans un cocon douillet lui permettant d'entrer en contact quand il le souhaitait à en utilisant l'italien que tout le monde saisissait, mais en rien subir l'inverse. Un verrou qui compléterait la panoplie de son système de défense. Ainsi, il aurait un sentiment de protection par la langue, dans un pays inconnu.

Il voulait être avec les autres, mais sans eux, en fait, comme il avait toujours vécu en se refusant de l'affirmer. Son expérience ultime étant de pousser le raisonnement à ses limites ; est-ce que cet extrême retranchement ne le conduirait pas en droite ligne à la démence ? S'engager volontairement dans la folie, est-ce cela qu'il désirait ? Certes non, car le processus exigerait toute sa lucidité et sa vigilance. En fait, ne sont-ce pas là les exemples de vies d'ermite dont il avait entendu parler, ces êtres qu'il imaginait hagards au fond de leur grotte, jetant sur les personnes qui les dérangeaient un regard haineux ? Des misanthropes vivant en dehors des lois de l'hospitalité, de l'hygiène ? Prend-on la décision de s'isoler du monde ou est-ce le destin qui nous y pousse, ou encore une forme d'incapacité à concevoir un système de réseau social autour de soi. Serait-il un ermite sans le savoir ! L'idée le rebutait, il rêvait d'une solitude, pas d'une exclusion. Oui, c'était ce genre d'avenir qu'il entrevoyait. Sobre, austère certes, mais pas dénué de tout le confort qu'offre notre civilisation. Comment avoir autant envie d'être avec l'autre et faire germer en son sein tous les ferments qui vont altérer et dissoudre tous liens possibles ? Il n'aurait la réponse qu'en réalisant l'expérience, pas en s'abonnant aux compromis !

Climat enchanteur, situation exceptionnelle, des habitants charmants, accueillants, volubiles, extravertis, la Sicile s'avérerait le bon choix.

Il avait le souvenir précis du film « le mépris » de Jean Luc Godard et surtout du lieu de l'action, la maison de Malaparte accrochée à un piton dans la baie de Capri. Il se voyait bien vivre son isolement dans un paysage aussi idyllique, mais peut-on être seul devant une beauté pareille ? s'interrogeait-il avec un certain effroi ? La maison de Malaparte était un rêve qu'il ne demandait qu'à atteindre, mais raisonnablement. La pauvreté endémique de la Sicile, selon les normes économiques en vigueur, et l'attrait de l'argent facile dans les mines industrielles continentales avait engendré tant d'émigration et tellement siphonné les villages que les prix de l'immobilier étaient restés dans ces lieux reculés, accessibles pour lui. Bien sûr, il n'avait pas les moyens d'une célébrité comme Malaparte, un sombre artiste, grenouillant et jaloux ne jouait pas dans la même cour.

Il avait finalement déniché, avec l'aide d'un agent immobilier sicilien, le lieu qui conviendrait pour son ascèse de rêves : une bâtisse isolée dans une campagne brûlante d'oliviers et de champs de blé, non loin d'une route secondaire qui serpentait dans les collines de Fiaccabrino. Une grille en métal fatiguée et geignarde signalait l'entrée de la propriété, un chemin de gravier plongeait à travers un verger de pêchers pour atteindre en contrebas, le corps de ferme auquel étaient accolées quelques dépendances qui avaient dû servir au stockage du blé ou autres graminées. Cette construction abandonnée dans la campagne sicilienne vidée de ses occupants le rassurait et puis, comme il l'avait rêvé, la maison était accrochée à un coteau qui rebondissait en une succession de rochers dans la mer. Le talus était constitué d'un enchevêtrement de genévriers et de buissons en fleurs tel un maquis où il semblait difficile de s'aventurer et dont il avait fait directement le deuil. La vue sur la Méditerranée était, quant à elle, prodigieuse. Des bougainvilliers fougueux faisaient office d'avant-plan au cadre qui lui servirait de point de vue. La plongée vers la mer était à cent lieues de celle de la maison de Malaparte. Tant pis, pas d'escalier abyssal où Piccoli, pris de vertige dans la scène de la dispute avec Bardot s'accrochait maladroitement au rocher, où Bardot, en revanche insensible à l'appel du vide, développait sur les marches étroites, son immense talent de star.

Dire qu'il y avait des chroniqueurs pour la qualifier d'actrice de second rôle ! Ils ne devaient pas avoir visionné « Jules et

Jim » ! Brigitte Bardot et Jeanne Moreau réunies se fendaient d'une interprétation de haut vol qui dissimulait mal une concurrence exacerbée. Et puis, Truffaut n'est pas Godard, bien sûr. En plus, le jeu féminin, à cette époque, se complaisait dans le canon de la femme enfant, mais l'histoire teintée par ces chroniqueurs, avait fait de Moreau une grande Dame du théâtre et de Bardot une espèce de vieille avachie, fasciste, obnubilée par les massacres des phoques qui faisait les choux gras des journaux à sensation.

Pas d'embarcadère particulier pour un yacht ni de plage privée pour barboter dans l'eau tiède. Des chèvres sauvages, noires, méfiantes, qui broutaient à bonne distance, semblaient la seule compagnie visible qu'il ait détectée lors de sa première visite.

D'un côté, les jeux étaient faits pour lui. Son avenir artistique était derrière lui et tant pis si la roue de la chance ne s'était pas arrêtée sur sa case. Son âge ne lui était pas d'un grand atout : il faisait un peu le vieux beau qui donne l'illusion de rester jeune. D'ailleurs, il n'était pas dupe : on le considérait avec bienveillance, mais les portes restaient résolument fermées, quoi qu'il fasse. Qu'il eût été un génie n'y aurait rien changé : ça le faisait bien sourire.

Il se consolait en déclarant que les contemporains n'étaient pas les meilleurs juges de leur époque. Une exposition à Paris, au Grand Palais, une trentaine d'années plus tôt, l'en avait persuadé. Elle développait les attitudes et les choix que défendaient collectionneurs, banquiers et puissants argentiers sous le règne de Louis XIV. Deux étages du musée accueillaient une exposition écœurante de toiles médiocres au format imposant et aux thèmes insipides. Et dans tout ce fatras ennuyeux, un tableau du Caravage : « David et Goliath ». Le génie de l'organisateur avait été de confronter un artiste inconnu à l'époque, aux peintres pilarisés de la cour du Roi-Soleil. Caravage brûlait littéralement l'espace et ridiculisait ses contemporains. La démonstration était éloquente, il gloussait sous cape quant à la réussite éphémère de ses amis artistes. Mais que la bile est amère.

Comment Caravage était ignoré à la cour de France, à son époque ? Déjà par son tempérament belliqueux, il aurait pu prendre place dans l'histoire. Meurtrier, exilé, amateur de rixes et accablé de procès, il n'était pas homme commun ; n'est-ce pas lui qui peignait son modèle nu, assis sur les genoux, et qui la baisait sauvagement lors de la pause avant de retourner à ses pinceaux ? Était-ce une légende ou une fabulation sur le maître qu'il adorait ?

Pourquoi le cercle des avertis avait-il négligé une telle avancée de la pensée ?

Voilà un questionnement salvateur sur lequel il s'était accroché pour continuer à travailler modestement. Tant pis, se disait-il, de ne pas être reconnu, ou tout simplement ne pas être accepté.

Si Caravage avait eu cette idée géniale d'impliquer plus la lumière dans ses tableaux, c'était parce que le pape de l'époque avait simplement autorisé la fabrication de cierges à partir de graisse animale. Auparavant, le prix des cierges les rendait inabordables, car ils ne pouvaient être conçus qu'au départ de cire d'abeille. Et voilà que, maintenant, on disposait de quantités substantielles de bougies bon marché, diffusant une lumière plus blanche que l'huile ; l'éclairage dans les chaumières avait considérablement évolué et Caravage l'avait bien saisi, ce qui n'enlevait rien au mérite du grand homme.

Dans la campagne chauffée à blanc des collines de Fumareloro, toutes ses théories devaient s'effilocher, tant il avait mis géographiquement de la distance entre l'art et lui-même, mais apparemment ce n'était pas suffisant, du moins pour l'instant ! Peut-être était-il tout simplement réactionnaire, trop décrépi pour comprendre. Ses mains moites tordaient compulsivement un mouchoir.

Sa décision avait été prise rapidement et l'agence immobilière avait trouvé acquéreur pour son pavillon de banlieue. Avec son petit magot en poche, il pouvait envisager une opération confortable en Sicile, où les prix des maisons étaient bien plus accessibles que dans son Europe du Nord, industrielle et laborieuse.

Il avait quitté sans mot dire, en silence, sans regret, son jardin de l'art contemporain. Avec soulagement même. Il avait ressenti un pincement au cœur à l'idée d'abandonner le cénacle des amis érudits où il pouvait évoquer et pinailler sur les sujets familiers : la politique, le langage plastique ainsi que la psychologie et la philosophie qui les accompagnent. Comment allait-il résister dans ce qu'il imaginait être un désert culturel ? Donc, finies une fois pour toutes les soirées arrosées de bière autour du thème éternel du monde à refaire, cette sphère de la pensée cristallisée sur l'art et sa série d'entremetteurs, galeries, musées, curateurs, collectionneurs. C'était une décision qu'il accueillait avec sérénité.

Il avait tout loisir de combattre encore ce fatras d'idées, entre deux siestes sur son lit-canapé, à l'ombre des ficus géants de la terrasse. Personne pour le contredire, mais personne pour l'encourager. S'ennuyait-il pour autant ? En fait, s'ennuyer volontairement n'était pas aussi facile que cela pouvait en avoir l'air. Il se piquait au jeu, se forçait à l'inactivité, évitait toute distraction. Ses idées de révolte avaient d'autant plus d'espace pour se développer dans les méandres inutilisés de son cerveau paresseux qu'il avait acquis la sensation que de nouvelles capacités de mémoire lui étaient dévolues, un peu comme sur un ordinateur où il suffit d'ajouter une barrette pour que la bête soit plus performante. Une phrase de Gide le poursuivait : « je serai vieux lorsque je ne pourrai plus me révolter » ou quelque chose comme cela. C'était encourageant : il vieillirait donc comme un jeune, en attendant que le feu s'éteigne. Cela prenait du temps d'oublier, d'effacer ; pas de bouton « delete » à presser pour se retrouver devant un écran vide. Il en avait conclu qu'il devait s'en remettre au destin et attendre que la chose vienne. Était-ce la mort ? Ou alors une confrontation ultime avec lui-même ? Il était encore trop tôt pour qu'il y voie un peu plus clair.

Il avait pris arrangement avec un brocanteur pour se débarrasser de tout son mobilier ; en parallèle, il avait envoyé un courrier à toutes ses connaissances, leur signalant que si, elles désiraient acquérir un souvenir de lui, quoi que ce soit, ils devaient prendre rendez-vous endéans le mois qui suivait et choisir dans les dessins, peintures, sculptures, photos, bref dans tout ce qu'il avait abordé dans ses recherches, les œuvres qu'elles souhaitaient. Il n'avait aucune intention de léguer son génie à la postérité, disait-il haut et fort, mais, si le peu de qualités qu'il se reconnaissait pouvait faire le bonheur de ses amis, ce serait un véritable soulagement, de se débarrasser de toutes ses créations. Dans ce schéma, il avouait qu'il se mentait en sourdine, car il avait déduit qu'une œuvre d'art n'existait que si elle était acquise et soignée. Parce que son acquéreur en prendrait soin et la transmettrait à ses héritiers avec toutes les recommandations qui accompagnent les choses de valeur ; c'est comme cela que l'on exhumait de temps à autre une œuvre d'un grenier, ou dans une vente aux enchères obscure. Il fallait absolument que la production d'un artiste soit conservée, durant au moins trois générations affirmait-il, pour que l'histoire décante une certaine logique dans ses choix. Donc en plaçant ses travaux chez des amis, il espérait que ce processus se déroule sans trop d'embûches, que ses recherches soient reconnues et surtout que l'humanité profite de l'immense acuité qu'il avait acquise sur l'époque qu'il avait vécue. Pas facile de disparaître quand on a rêvé toute sa vie d'être une apparition grommelait-il, en décryptant son mensonge. Comme il le redoutait furieusement, peu d'amis se manifestèrent et la grande brocante n'eut pas lieu. Quelque peu interloqués, ses proches emportèrent quelques bricoles, ne se doutant pas des intentions morbides de leur frère d'armes. Il brûla au fond de son jardin tout ce qui consistait en dessins, esquisses, tableaux et mit en décharge ses structures et ses sculptures. Il ne serait pas Le Caravage de son époque. Tant pis.

Dans tout son déménagement et son désir de faire place nette, il regrettait amèrement de ne pouvoir emporter son verger Ce lopin religieusement cultivé constituait le terreau de sa vie. Un petit square soigneusement entretenu, car, secrètement, il avait dédicacé les variétés qui le composaient aux amantes dont il avait été discrètement épris. Il avait choisi les arbres en fonction du parfum de leur floraison, de la forme et de la saveur des chairs des fruits, suivant le sentiment que ces femmes lui avaient inspiré, les subtilités de leur carnation, l'agrément exquis de leur bouche, les architectures affolantes de leur sexe et de leurs seins, la masse enivrante de leurs fesses, la succulence de leur vagin, les effluves de leurs aisselles, le satin de leur peau. Il avait mis en place la théorie fugace et un peu folle, il le reconnaissait, de considérer que la sapidité de la vulve résultait de la combinaison de l'arôme du nectar qui en suintait sous le coup de l'excitation, épicé par les humeurs homéopathiquement distillées par un anus tout proche. Un cocktail détonnant.

Il élabora, là-dessus, l'hypothèse gaillarde que le goût du sexe féminin fût suffisamment précis pour y déceler l'aptitude à donner naissance à des enfants mâles ou femelles en sélectionnant les spermatozoïdes. Ainsi, affirmait-il, une flaveur acidulée, salée, comparable à celle de la mangue signifiait que la femme ne pouvait concevoir que des filles, tandis que les lèvres aux arômes doux, sucrés, amers, un peu comme celui de la chair de certaines prunes, ne pouvaient qu'engendrer des garçons. Les techniques visuelles d'échographie pour le déterminer n'existaient pas encore et il se serait bien vu dans la peau d'un expert pour prédire le sexe des futurs bébés. Passer sa journée entre les cuisses de jeunes filles à déguster le suc de leurs entrailles, afin de deviner le fruit de leurs ébats, aurait pu devenir son activité préférée.

Mais il avait entrevu aussi l'idée que, de personnes peu sensibles à leur hygiène ou que d'autres, affligées de maladies de la peau, ou pire, accueillant dans leur toison une faune grouillante de poux, puces, miasmes qu'il abhorrait, lui demanderaient son avis. La vision d'un revers tangible de la médaille avait ruiné ses ambitions de taste-vulve.

Il avait dédicacé le prunier à la femme dont la vulve sombre, ferme, majestueusement gonflée et profondément fendue l'avait troublé. La variété Belle de Thuin faisait partie de sa collection. Son fruit allongé, très juteux, se fêlait facilement lors des premières pluies, sa chair tendrement sucrée et sa peau au goût tannisé évoquaient des souvenirs pétillants qui allumaient ses pupilles. Il l'avait choisie en souvenir d'une brève rencontre avec une dame d'un âge avancé dont il n'avait pu discerner la vulve sous l'épaisse toison qu'elle arborait et qu'elle-même appelait « le barbu », un barbu frisottant et grisonnant.

Les pommiers relataient son adoration pour les poitrines graciles ; les seins menus craignaient moins la chute d'organes, ricanait-il, bien qu'il magnifiât les mamelles vertigineuses qui pointaient vers le ciel des tétons turgescents a contrario de toutes les lois de la pesanteur. Les gros nibards l'impressionnaient, paralysé par cette masse de chair qui contenait tant bien que mal un excès de féminité qu'il redoutait un peu, il avait choisi en souvenir d'une amie aux nichons plats, étirés sur son torse osseux, un pommier de la variété Reinette de France. Les petits fruits nombreux se coloraient à la maturation d'un rouge intense, la pulpe douce répandait un parfum puissant, unique en son genre et, qualité ultime, ces pommes se conservaient tout l'hiver sans se rider, telle la poitrine d'une jeunesse éternelle.

Il vouait, comme les grives et les ramiers qui pullulaient dans sa région, un culte dionysiaque aux cerises qu'il assimilait aux tétons architecturaux, ceux qui non seulement s'appuyaient sur une grande aréole, mais qui sous l'excitation se gonflaient joyeusement en formant une magnifique construction de chair fière et altière. Il y voyait un rapport évident avec les guignes adorées. Maudissant ces volailles voleuses qui raffolaient comme lui des drupes turgescentes, Napoléon ou Hedelfinger, aux rubis ténébreux ou aux carmins raffinés, il avait opté pour un cerisier de la variété Montmorency qui portait des fruits pâles, nacrés dont la sève ravissait sa gorge. Leur couleur ne questionnait pas les oiseaux qui les ignoraient superbement et lui se gaussait de les rouler aussi aisément.

Dans tout cet éventail de fruits, les poires avaient sa préférence. La poire avait pour lui la forme la plus proche des croupes qui le faisaient vaciller : deux « conférences » l'une à côté de l'autre et voilà qu'apparaissait le somptueux fessier d'une femme callipyge. Le fruit le plus vertueux, celui, qui, à maturité, exprimait spontanément, lors de la cueillette un suc collant, suintant le long des doigts en s'épandant jusqu'au coude, ce qui présageait une séance de lèche minutieuse. Il avait opté pour la variété Saint Mathieu, une poire qui se dégustait cuite, tant elle était ferme, en pensée pour une admiratrice aux fesses fripées et molles.

Malheureusement, son verger minuscule ne permettait pas un assortiment riche et diversifié. Cela le désolait, mais il avait trouvé là les excuses qui avaient limité son engouement pour les conquêtes féminines.

Nul doute qu'en Sicile il découvrirait d'autres variétés fruitières et de nouvelles saveurs pour reconstituer une collection. Bien qu'au fond de lui, il ait perdu toute illusion d'une escapade amoureuse, c'était une raison de plus pour tout quitter. Au crépuscule de sa vie, il réalisait qu'une femme qui accepterait de fréquenter ce grognon aux allures de vieux jeune homme n'est pas la chose la plus évidente à dénicher. Celle qui le convaincrait de modifier sa façon d'être ne devait pas encore être née, se disait-il.

2

Après avoir fait table rase de tous ses biens matériels, il se sentait plus aguerri pour attaquer son plat de consistance : La Sicile.

« Pas un pas en arrière », disait Staline qui, installé confortablement à Moscou, s'adressait aux soldats de l'armée rouge assiégés dans la neige à Stalingrad. Comme eux, il ne pouvait qu'aller de l'avant, mais n'était pas acculé par les mitrailleurs tadjiks dans le dos.

Il espérait qu'en effaçant son expérience de vie, l'ennui pointerait le nez. Il guettait son arrivée avec impatience, car il voulait s'y confronter, découvrir cette langueur morbide qui le troublait, l'intriguait. Une nouvelle drogue aux effets méconnus, présageait-il. C'était là son véritable défi : s'ennuyer jusqu'à l'ivresse, se disait-il, jusqu'à ce qu'il se trouve au bord d'un gouffre qui l'engloutirait. Et c'est là que l'aventure commencerait. Qui sollicite l'indifférence, qui revendique une absence de désir ? Une « terra incognito » ! C'est de l'ennui que naissent les pulsions, théorisait-il, c'était donc le terreau où fermentaient tous les phantasmes, le lac de lave bouillonnante au fond du cratère. Mathématiquement, si on évacue l'appétence, il ne doit rester que la langueur. Il l'explorerait comme un continent vierge, le visiterait dans ses moindres détails pour en dresser une cartographie et devenir spectateur de ses nouveaux paysages. Que se passerait-il à ce moment-là ? Un être sans désir perd une caractéristique du Sapiens. N'est-ce pas le désir qui pousse l'individu à avancer, à progresser, n'est-ce pas lui qui est responsable de l'évolution ? Un cerveau envahi par l'ennui devait, à partir d'un certain moment, tourner à vide ; comme un moteur sans charge, il risquait peut-être de s'emballer ; l'intelligence qui s'affole, les neurones qui cavitent, les indicateurs au rouge, l'impossibilité de contrôler ses limites, voilà l'expérience dont il rêvait.

Est-ce que la société occidentale ne masquait pas systématiquement l'ennui pour y fourguer son terreau où elle cultiverait et formaterait la masse des consommateurs ? Le travail abrutissant châtrait le désir des humains lorsque ceux-ci se retrouvaient, enfin dégagés de leurs obligations après une journée de labeur, le cerveau comateux, boursouflés comme un hématome, sans énergie suffisante pour encore imaginer qu'ils existaient. Alors écrasés, moulus, broyés, ils s'effondraient face à l'écran. La télévision leur distillait insidieusement des programmes insipides qu'ils avalaient sans appétit : compétitions de toutes sortes, émissions divertissantes, abêtissantes, auxquels venait perfidement s'additionner le matraquage des politiciens qui justifiaient, à longueur de journaux parlés, leurs attitudes ou leurs décisions en insufflant la morale cynique de la pensée unique devant un parterre d'animateurs corrompus. Le désir personnel du spectateur avait été aboli, nié, anéanti ; l'écran magique avait dégagé un espace immense dans les têtes que remplissaient avidement les publicités. Le monde était un rêve aseptisé comme Walt Disney le proposait à longueur de dessins animés. C'est de cet idéal que l'on gavait les enfants qui s'empressaient de le digérer pour se l'approprier. L'homme du vingt et unième siècle, robotisé et dépersonnalisé, ne devait pas s'ennuyer ! D'autres pensaient à sa place à son bonheur. L'homme contemporain était gavé de choix dans une infinitude de plaisirs insipides.

La bienveillante société omettait les alcooliques, les assujettis aux drogues de toutes sortes, les allergies envahissantes et les nouvelles maladies de civilisation qui gonflaient les murs des hôpitaux. Aux ratés du processus de consommation se substituait un autre : la récupération. Ces accidentés, ces maladroits, ces inadaptés étaient recyclés pour en faire à nouveau de la matière première. Malvenu aurait été le politicien courageux ou suicidaire qui aurait inséré dans son programme une solution efficace.

Ce processus d'éradication du désir abandonnait sur la planète quelques rescapés, des terroristes, quantité négligeable, déchets inévitablement de la machine gargantuesque.

Le système de consommation finement distillé par le pouvoir pouvait se mettre en place, toute opposition étant balayée. Le dispositif fonctionnait à l'envers. Au lieu de s'inquiéter des besoins fondamentaux des gens, le pouvoir créait des frustrations et produisait des jouets pour satisfaire cette incomplétude. Le processus parfaitement huilé tournait comme une horloge : le malaise engendré serait permanent, les solutions ne rencontreraient jamais les désirs réels. Nous sommes des machines désirantes, clamait ce chantre Pop de la consommation. La publicité inhérente s'insinuait dans ces cerveaux sans résistance. Bingo ! La TV avait bien fait son boulot ; à croire qu'on avait inventé son concept pour installer dans chaque foyer un œil qui vérifierait si tout le monde était sagement à l'écoute des messages de consommation obligatoire.

Il ne pouvait plus supporter ce monstre obèse qui trônait au milieu du salon, qui aliénait ses facultés intellectuelles tout en se targuant de la qualité usurpée de nouveau vecteur d'éducation des masses, d'outil de diffusion de la culture. Quelle culture vomissait-il ? Celle du showbiz ou celle des super compétitions effrénées où des athlètes ruinaient leur santé pour quelques heures de gloire ? Est-ce qu'un jour on ne traduirait pas devant un tribunal toute cette volée de journalistes qui avaient berné la population pour la rendre plus servile encore ?

3

Il avait tout de même une certaine appréhension ; et si derrière cette absence de fantasme et l'obligation du lâcher-prise qu'il s'imposait pour éluder tout désir, il n'y avait que la folie pour l'accueillir ? Il avait envisagé cette éventualité. Il serait alors le simplet de la région, celui dont on se moquerait en douce et que l'on ne contredirait pas.

Quelques mois ne constituaient pas un terme suffisamment long pour digérer le livre de sa vie. Peu importe : sur sa terrasse ou dans son intérieur particulièrement frais, il errait toute la journée, nonchalant, peu enclin à aborder cette plage de l'inertie. Il préférait que le vide qu'il avait créé constitue l'appât digne d'allécher son dévoilement.

Pourtant il avait mis en place un environnement propice à sa retraite. Il s'était affranchi de toute besogne envahissante pour se rendre disponible.

Angélina, une charmante dame originaire d'un village situé quelques virages au-dessus de sa ferme, accomplissait les tâches ménagères. Bien que cette corvée soit essentielle pour maintenir une certaine coquetterie à son intérieur, il redoutait sa venue. Il priait pour qu'elle soit malade ce jour-là ou qu'elle ait un accident sur la route pour qu'elle soit obligée de décommander et ainsi reporter à plus tard son ouvrage. Ce n'est pas qu'elle fût désagréable, au contraire. Mais il ressentait sa présence comme une violation. Contre mauvaise fortune, il avait choisi la résignation. Elle était, en revanche, d'une ponctualité exemplaire, elle débarquait à l'heure et maugréait dans son dialecte tout en rafraîchissant la salle d'eau ou les parquets ; tout était expédié en une demi-journée, mais c'était encore trop pour lui. En plus, elle lui avait recommandé un voisin ou un parent, il ne savait pas trop bien, Emilio, pour l'entretien du jardin, des petits travaux et surtout du potager. L'approvisionnement en liquides divers constituait sa virée au village de Casa Deliellia perché dans les collines désertes, pour rafler à la petite épicerie le somptueux « Nero d'Evola », ce jus divin qui pissait des coteaux de la vallée. En dégustant ce vin qui se servait frais, ses pensées glissaient vers l'ami qui lui avait si chaudement recommandé la région. Il s'en voulait de ne pas l'avoir informé qu'il y résidait maintenant et il pensait qu'il aurait été sympathique de l'inviter à passer du temps avec lui ici, mais cela supposait de nouveau une présence humaine qui allait inexorablement rompre le contrat qu'il avait noué avec lui-même.

Sa visite au village se clôturait par la dégustation à petits coups de langue, d'un expresso « forza », brûlant, à la terrasse cette épicerie multifonctionnelle. Il en profitait pour saluer chaleureusement les habitants. Ceux-ci le considéraient avec un respect apparent, répondant en gestes avares, de la main ou d'un doigt. Les jours de chance, il pouvait croiser un regard oblique, méfiant.

Mais il avait beau clamer au peu de personnes qui découvraient son existence son envie d'apprendre l'italien, nul ne pouvait, dans ce coin reculé, lui fournir l'adresse d'un professeur ou d'un établissement. Dès lors, il se débrouillait avec force gestes et l'appui de son dictionnaire. Il se doutait qu'il pouvait être un sujet de commérages dans la région. Qu'est cet étranger vivant seul, parlant peu et surtout complètement inactif ? À moins que l'on ne le considérât comme une personne oisive ou aisée. Les rupins n'ont certainement pas le même train de vie que lui, pensait-il, il ne pouvait se comparer à eux ! Au fond de lui, il avait le profond sentiment que l'expérience de la vie lui semblait finalement bien pauvre et tout à fait vaine et, là, il rejoignait son « ami » Cioran. Cioran affirmait qu'il n'y avait aucun sens à la vie, hormis celui que l'on voulait y mettre. Il avait retenu de son penseur préféré deux principes auxquels il ne cessait de s'abreuver : deux thèmes géraient notre courte existence : d'une part, la réflexion autour de l'existence d'un créateur et d'autre part, l'intérêt nombriliste de ne se complaire que de sa petite personne. De Dieu, parce que tout le questionnement sur notre arrivée sur la terre et notre disparition après quelques années était contenu en ce concept.

La notion, étriquée à première vue, de ne parler que de soi, levait un coin du voile sur le problème de la communication. Il en avait déduit qu'échanger avec autrui était une entreprise malaisée, vu que le cerveau, à sa connaissance, n'était pas conçu pour dialoguer. La grosse bête était seulement capable de comparaison ou d'allers-retours avec les données cristallisées sur son propre profil ; s'il n'y avait pas reconnaissance, il ne pouvait y avoir d'interaction. Et la logique de Cioran s'appliquait avec une rigueur implacable malgré tous les efforts mis en place pour établir un dialogue.

Parler de soi était monnaie courante, tandis que l'échange spirituel faisait partie intégrante des qualités riches et rares. Il en avait déduit que le monologue alterné et respectueusement écouté pouvait s'y substituer, mais, à son sens, ce n'était qu'une illusion.

34

Ici, en Sicile, la notion de dialogue avait été gommée de son existence suivant sa volonté. Il ne ressentait pas d'énergie suffisante pour s'intéresser aux pensées ni encore moins aux activités de tout ce monde rural.

Tout ce contexte constituait le cocktail de sa nouvelle existence dans un pays dessiné par l'ombre de la Cosa Nostra.

La maffia le fascinait ; c'est ce qui l'avait intimement affriandé pour s'installer en Sicile. Cette société secrète l'hypnotisait. Elle exprimait au grand jour, tout en restant invisible, l'immensité d'un pouvoir absolu : la décision de supprimer une vie étant, à son sens, l'ultime échelon ; n'était-ce pas celui du Créateur qui la donnait et la reprenait suivant son propre vouloir ?

Non pas qu'il défendît l'idée de s'entretuer, loin de là, mais le fait que des individus puissent à ce point être dénués de sentiments pour que la vie d'un autre n'ait plus de poids du tout et qu'ils puissent, sans remords, l'envoyer à trépas, ce fait lui posait question. Cependant, il y avait tant réfléchi qu'il pouvait, lui semblait-il, découvrir des bribes de discernement.

Comment concilier les sentiments de quiétude et de pouvoir dans la tête du militaire, du commandant de troupe, du général qui expédie à la mort, des enfants de 18 ans ! Il lui avait fallu du temps pour comprendre, sans l'admettre, qu'un homme puisse donner de tels ordres. On pouvait rétorquer le bien et la défense de la patrie. Mon cul ! L'instinct de rapine à grande échelle, oui, organisée par les lobbies économiques qui, dans le but de leur propre sauvegarde, n'avaient pas d'autres arguments que de voler les richesses d'un état concurrent en l'anéantissant. Pour cela, les politicards prenaient le relais sous le couvert de discours nationalistes, de drapeaux, de médailles et d'hymnes guerriers joués en fanfare. En fait, rien que des peccadilles pour persuader une jeunesse innocente de se sacrifier. Il fallait admettre qu'au départ, le général était au service d'un gouvernement qui, lui-même, n'exécutait que les missions indispensables à la gestion du pays : la survie économique, bien entendu. Méprisant le rôle subalterne de ce général, il avait fait rugir bien des amis lorsqu'il avait défendu la théorie belliqueuse du droit de tuer et l'urgence de l'inscrire dans la Déclaration Universelle des Droits de l'Homme. Un homme désarmé ne représente aucun poids devant des policiers ou militaires ; il en aurait été bien autrement si, lors d'un conflit, chaque individu pouvait choisir son camp ; actuellement, c'est simple : si une minorité s'engage contre son pays, elle est désignée comme terroriste ! Quand il s'agit d'une majorité, on l'appelle démocratie !

La maffia avait cette radicalité de décider du sort par les armes ce qui engendrait par corollaire la « vendetta », se disait-il, au vu des nombreux films et photos dédiés à la chose. Donc entre un pouvoir, démocratique ou non, qui promulgue une guerre, dans le but de favoriser son système économique et une secte qui radie un de ses membres parce celui-ci ne respecte pas un contrat, il ne voyait pas beaucoup de différences. L'horreur était de tous les côtés à la fois. Le problème était, en fait, pour lui, biologique : qu'est-ce que la vie, finalement ? Fallait-il accorder crédit à ce statut privilégié cher aux discours des sociétés occidentales ou alors ne la considérer que comme un processus élémentaire de propagation et d'envahissement de la planète ? Il avait lu, peu avant de quitter son pays, un rapport scientifique qui affirmait que la vie sur terre était un phénomène simple, son apparition naturelle étant subordonnée aux conditions climatiques et à la présence de certaines molécules chimiques. On était loin des prêchi-prêcha bibliques et de la notion de Créateur.

La Sicile portait en elle le secret de son fonctionnement, une espèce de gouvernance indépendante, parallèle à celle du pouvoir politique. Peut-être que tous les gens qu'il croisait faisaient partie de la maffia ou étaient conscients de ses composantes. Peut-être aussi que tous ses gestes seraient transmis aux responsables locaux qui ne manqueraient pas d'observer et de suivre cet étranger sur leur territoire : est-il dangereux, concurrent, touriste tout simplement ou curieux, on ne sait jamais ! Quel serait le rôle que la maffia allait lui attribuer ? À nouveau, il sentait qu'il plongeait dans ses rêves mégalomaniaques, en se gargarisant sur son propre culte pathétique, à la fin. Est-ce qu'une organisation criminelle pouvait s'intéresser à lui ? Et, si oui, en savourerait-il une certaine reconnaissance ? Peut-être qu'un jour il rirait de son travers, sur lequel il trébuchait régulièrement : « être important, être reconnu, exister, mais pour qui ? ».

À quoi ressemblait un maffieux ? À un acteur sombre pareil à Marlon Brando dans le rôle du Don Corleone du film « le Parrain» ? Quelle était l'allure d'un maffioso ? Basané, les cheveux gominés, les lunettes de soleil arrimées sur le sommet du crâne, soleil ou pas soleil et les chaussures blanches ? Dans ce cas, la plupart des Siciliens, qu'il croisait dans les artères de Palerme, pourraient être maffieux à ses yeux, eux qui portent si bien dans leurs traits l'influence africaine : poil noir, peau olivâtre, chocolatée même, nez aquilin, une grande fierté dans l'allure…

4

Finalement, ne rien faire avait été chose facile. La plupart des journées, allongé dans un fauteuil, mi-lit mi-sofa, installé sur la terrasse ombragée par de vieux ficus, il glandait, savourant les moments furtifs où l'obsession de penser le quittait. Dans la tiédeur d'une ombre sèche, il décelait un certain répit dans la fournaise, une meurtrière fugace qui transperçait la cogitation. Le bruit des sabots des chèvres noires qui erraient sur les lieux dérangeait à peine son ruminement. La chaleur harassante, le vin de Trapani étaient les complices des siestes pharaoniques voluptueuses auxquelles il s'adonnait, sans retenue, comme sous l'abandon de l'anesthésique injecté avant une opération. Le bilan actif de la journée était réduit au minimum. La lecture dans ce lit fauteuil, à l'ombre, aurait pu être agréable. Il avait le temps de bouquiner, et même de relire, songeait-il en évoquant son « ami » Cioran qui vantait son appétit de consommation de livres. Cioran avait dévoré tous les ouvrages de Dostoïevski à maintes reprises, de même que, se rappelait-il aussi, il aurait assimilé toute la correspondance de Madame de Sévigné. Épuisant à première vue, lui qui n'avait jamais rien lu de cet auteur russe que l'épaisseur des livres suffisait à rebuter et n'ayant aucune sympathie pour cette aristocrate française, se considérait comme un inculte, et qui plus est, entretenait son ingénuité de façon à se protéger de toute influence.

« L'art, c'est monstrueux, indescriptible, méchant, sans concession, tout le reste, c'est de la culture, de la politique culturelle, de la culture d'entreprise ». Il avait découvert cette maxime d'un auteur, qu'il croyait français et dont il ne se souvenait plus du nom et s'en était fait une doctrine. Il avait identifié cette vénération de l'a-culture lorsque jeune artiste, il peinait à se faire une opinion sur ses propres œuvres. Il n'existait pas de méthode pour concevoir un jugement objectif et, a fortiori, il en déduisait que critiquer sa production en mettant en évidence ses points forts et ses faiblesses relevait de la plus grande difficulté ; n'est-on pas la personne la plus mal placée pour se jauger, maugréait-il.

S'il était mauvais juge pour lui-même, il lui fallait changer de point de vue. Il s'imposa comme témoin du bouillonnement créateur de son pays. Peut-être qu'ainsi, en foulant la variété des productions artistiques, il y verrait plus clair et que, petit à petit, son regard s'aiguiserait, que cette expérience lui serait profitable pour apprécier, in fine, sa propre activité plastique. Il s'était lancé dans la visite d'expositions avec une fougue qui le faisait paraître comme un mondain. Mais au fil des ans, il avait appris à reconnaître les plagiats trop évidents et les suites interminables de copies et de thèmes ressassés. Il en concluait qu'il n'y avait rien d'évolutif dans la pensée contemporaine depuis belle lurette, ou alors, cela était bien caché ou inaccessible à ses réflexions. Quelque chose de frais, de neuf, manquait systématiquement et il constatait amèrement qu'une bonne exposition par an était la pépite qui reluisait au creux de sa batée d'orpailleur.

Dans la foulée, il épinglait le courant du Pop'art, car derrière le mot savant utilisé par tant de critiques d'art, il n'y n'avait qu'un sens si on traduisait le vocable british : c'était de l'art « populaire ». Pas un art où l'on sublimait la consommation ; non, plus simplement, un art facile à digérer. Il découvrait en maugréant qu'il s'était laissé berner par le mot pop'art, un concept où il imaginait un courant philosophique révolutionnaire. Il devait désenchanter en démasquant qu'il y avait donc un art plastique populaire, mais en même temps, il s'emballait, car en contrepartie cela sous-entendait qu'il y avait un art plastique plus intelligent, un art plastique de chercheurs, de penseurs. Il comprenait maintenant pourquoi Le Caravage ne pouvait être reconnu, cela devenait évident. Son esprit bouillonnait et vagabondait en tous sens, la « pop music » était cette musique des festivals d'été, de ces groupes rock, pop, folk, saoul, rap ou encore cette appellation qui recouvrait tout ce qui était séduisant à l'oreille de tous ses sympathisants et que lui aussi ne rechignait pas à siffloter dans sa voiture. Et la science était-elle aussi affectée par ce modèle ? Eh bien oui ; il y avait la recherche fondamentale, celle que l'on fait pour la gloire, pour l'humanité presque, et l'autre, appliquée qui en exploite les résultats en trouvant des paramètres plus avantageux pour rentabiliser les activités industrielles ; l'art qu'il avait côtoyé dans les galeries et musées n'était-il qu'un savoir-faire besogneux !

Il avait fait le voyage en Sicile pour cela !

Dur à dire et dur à entendre, c'était radical et d'une simplicité enfantine. Lui, modestement, prétendait se hisser dans le cénacle des chercheurs, puisqu'il réunissait tous les ingrédients ; pas apprécié, mal reconnu, jamais ou peu vendu. Caravage avait dû aussi vivre de telles situations. Mais lui se distinguait du

Caravage pour avoir brûlé et fait disparaître toute son œuvre. Courage et ténacité : il y avait des effluves de suicide dans l'air. Parfum de suicide aussi dans la fin du grand homme ; assassiné ou suicidé sur cette plage italienne ? Caravage avait creusé une différence de taille incommensurable par rapport à lui : le génie avait tout de même occis un de ses compatriotes : n'était-ce pas l'œuvre d'art la plus audacieuse et inaccessible à laquelle il n'adhérait en rien ? Caravage était violent et brutal, tandis que lui se gargarisait tellement de son pacifisme qu'il en oblitérait la férocité de ses critiques à l'égard de ses contemporains. Il aurait eu du plaisir à se saouler avec le grand homme dans une taverne des bas-fonds de Rome, des prostituées sur les genoux. Ensemble, ils auraient noyé leur amertume, leur déchéance et leurs désillusions.

Le Caravage ne se serait-il pas suicidé ruminait il ? Car le mystère de sa mort n'avait jamais été élucidé. Et lui, ne s'immolait-il pas lentement dans cette campagne roussie ? L'idée le glaçait. Non, il venait ici, au contraire pour vivre le plus longtemps possible. Ah, comme il aurait voulu rencontrer son artiste adulé ! Ce devait être un homme hypnotisant, terrifiant par ses décisions drastiques et son obsession de peindre à tout prix. Il appréciait ce genre de personnage radical. À bien y penser, en se remémorant ses anciens amis, il devait se rendre à l'évidence : il y avait de la jubilation dans la fréquentation des marginaux, les misanthropes, ceux qui crachaient sur la justice, le pouvoir, le monde civilisé. Il les adorait, qui fous ou trop lucides, ne pouvaient supporter l'engraissement et la paresse du confort ; comprendre était pour eux un impératif vital ; ses amis étaient évidemment comme lui, des chercheurs.

Qu'il soit sur la terrasse de la place du village, ou allongé dans son fauteuil, ses pensées rebondissaient constamment sur les mêmes thèmes, à croire qu'il n'avait rien d'autre en tête. Le calme qu'il recherchait isolerait cette idée qui cristallisait son monde intérieur. Dans son livre « le pendule de Foucault », livre que lui n'avait, cependant, jamais terminé de lire, mais qui lui avait été d'un secours providentiel pour la poursuite de son activité artistique, Umberto Ecco affirmait, un peu dans le sillage de Cioran, qu'un individu ne dit qu'une chose dans sa vie et sans cesse la répète, mais l'ignore. Une espèce de monologue monochrome. Le problème existentiel est de découvrir cette idée obsédante qui contient l'essence tout entière de l'être. Cette hypothèse s'appuyait sur un théorème plutôt abrupt : la nécessité de maîtriser cette flagrance implique l'obligation de bien se connaître, évidence irrésistible. Le génie était celui qui savait la chose, à 18 ans. Ce devait être le cas de Caravage, admettait-il. Une petite partie de l'humanité ne le découvrait que bien plus tard à force de thérapies et de confrontation avec l'adversité. Il fallait accepter que la majorité de la population mijote dans la parfaite ignorance et la plus totale indifférence du fait de cette vérité. Pour lui, vivre sans avoir pu en discerner ne fût-ce qu'une infime parcelle signifiait rater son existence, un péché mortel en quelque sorte. Et la quête des frontières de son territoire mystérieux faisait partie intégrante de sa vie d'artiste.

Posséder ce profil créateur constituait un avantage considérable pour approcher ce Graal.

Il avait eu dans son atelier, une espèce d'illumination en découvrant d'anciens travaux, de petites structures qu'il avait considérées comme ratées à l'époque de leur conception. Sans très bien quoi savoir en faire ni quoi en penser, il les avait gardées. En les examinant quelques années plus tard, il n'avait pas réellement compris, mais il lui semblait que ces bidules qu'il avait engendrés étaient des machins qui lui appartenaient, comme des enfants reniés, mais dont la parenté lui claquait à la figure. Ces choses, sans titre, tellement éloignées devenaient celles qui exprimaient le mieux la notion d'indésignable –. S'il les observait bien, s'il les interrogeait, elles ne pourraient parler que de lui, rien que de lui. Elles exprimaient ce que lui disait sans le savoir ; il avait en lui l'outil pour se comprendre, l'outil pour atteindre sa vérité : c'était magique. Depuis qu'il avait fait cette découverte, jamais plus il n'éliminait quoi que ce soit, pas par orgueil, au contraire, car plus il admettait au premier abord que l'œuvre était ratée, plus il était ravi de se débarrasser des carcans, des routines, et d'avoir osé dépasser ses limites conventionnelles pour entamer la prospection de son continent. Il avait le sentiment de disposer d'un levier puissant pour débusquer sa vérité, l'extraire de la gangue de ses habitudes ; être artiste présentait un avantage énorme pour se comprendre, ce qui engendrait que plus il connaissait la personne avec qui il vivait, lui en l'occurrence, mieux il pouvait se poser des questions pertinentes sur son identité, et ainsi les couler dans son langage plastique. Psychologie de comptoir ou miraculeux reflets ?

Son regard glissait sur les nuages qui écloraient au-dessus de lui. À force de rester allongé toute la journée, il finissait par avoir des courbatures. Il n'échappait pas aux crises de rhumatismes qui guettaient ses articulations, bloquaient ses doigts ou ses rotules. La maintenance de son corps, la préservation de son meilleur niveau de fonctionnement, pareille à une horlogerie précise et délicate, lui importaient beaucoup, sans qu'il abonde dans une inquiétude démesurée et inutile. Il ne pouvait négliger la précieuse machine biologique qui portait l'essence et le moteur de sa pensée.

Il avait lu le rapport passionnant d'une universitaire américaine sur ce sujet-là, justement, à savoir les conditions physiques qui autorisent une espérance de vie supérieure à la moyenne. Cette Berkeleyenne avait d'abord constitué un cadastre planétaire en fonction de l'âge de la mortalité naturelle. Elle en déduisait que les personnes qui avaient une pérennité supérieure n'étaient pas dispersées dans le monde, mais vivaient regroupées dans certains lieux. Son travail déterminait ensuite quels étaient les paramètres qui les singularisaient. L'étude l'avait enthousiasmé et il ne l'avait jamais oubliée. C'était un argument sous-jacent à sa décision d'émigrer en Sicile. Le premier paramètre ciblait les lieux où se concentraient les populations âgées : tous en basse ou moyenne montagne. Elle en concluait que les habitants qui résidaient dans ces régions pentues étaient rompus quotidiennement à monter ou descendre pour accomplir n'importe quelle activité. Ces fiers montagnards s'exerçaient en permanence à l'effort physique, car, en plus de leur travail rude en ces conditions, leurs simples déplacements étaient soumis à cette exigence. Loin derrière leurs priorités devait être la gymnastique comme le prônent nos sociétés occidentales qui considèrent l'exercice physique, et notamment le sport, comme un paramètre de bonne gestion de sa santé.

Lui avait toujours détesté tout excès physique : courir lui semblait la chose à faire en dernière nécessité, se presser éventuellement, mais il préférait de loin partir plus tôt. Il se jurait qu'il ferait du sport le jour où il verrait son chien s'exercer à sauter plus haut pour enfin franchir la palissade qui le tenait à distance de la charmante femelle voisine. Non, son chien devait avoir, inscrite dans ses gènes, une norme qui ne lui permettait pas d'envisager de sauter au-delà du mètre vingt qui le séparait de la belle. Alors, cela se concluait par des concerts d'aboiements deux à trois fois par jour. Il s'imaginait qu'ils devaient s'échanger les nouvelles.

Cette brillante universitaire mettait en évidence, dans le second point, le fait que ces populations étaient sobres. « Sobres » signifiait, pour ce lumineux cerveau, que la nourriture était parcimonieuse et certainement pas coulée dans des flots de graisses, gorgée de glucides ou dopée d'exhausteurs de goût comme celle des sociétés occidentales qui fabriquaient des obèses comme Ford produisait des voitures. Les Occidentaux voraces s'abreuvaient de régimes amaigrissants qui apparaissaient chaque année, à l'époque des vacances, pour retrouver le ventre plat ou les fesses débarrassées des bourrelets adipeux dont le monde de la consommation dotait les plus jeunes et les plus jolies femmes. Il rageait en décryptant les discours du pouvoir, au travers des publicités, proclamer que l'on pouvait se permettre tous les excès, car de toute façon la science était là, présente pour y parer. Vivez, vivez, profitez de la vie et surtout consommez bien et beaucoup, nous on est là, en rempart, pour vous aider en cas de défaillance et surtout pour cueillir les fruits de votre insouciance. Il avait vécu cette vague d'après-guerre où l'Europe, devenue colonie des États-Unis, était inondée par la propagande qu'instillait le modèle américain : la fascination pour l'électroménager, la culture hollywoodienne, les chromes rutilants des voitures et la nourriture affinée, celle qui convenait le mieux aux humains. Combien n'avait-il pas ri en écoutant un ami lui confier sérieusement que la gamelle de son chien était composée essentiellement de riz complet, alors que lui, homme civilisé, ne mangeait que du riz blanc raffiné. Il avait fallu du temps pour accepter le sucre brun, le pain complet et jeter la suspicion sur toutes les préparations édulcorées.

Ce qui n'empêchait pas tous les pâtissiers de la planète d'empoisonner leur clientèle avec des gâteaux qui ne contenaient en fait et en majeure partie que de la farine et du sucre raffinés enrobés des graisses animales. Avec eux, les médecins avaient un avenir assuré.

Bref, cette jolie universitaire avait serti son rapport d'une troisième conclusion qui mettait en évidence le fait que les sociétés de personnes âgées avaient une vie sociale très riche et très structurée, incluant dans la vie active tous les individus, sans distinction. Ce qui sous-entendait que les vieillards n'étaient pas enfermés dans des mouroirs, aussi luxueux soient-ils, que les fous n'étaient plus appelés des malades mentaux qu'il fallait soigner dans des institutions spécialisées et que les handicapés physiques n'étaient plus relégués au rang de marginaux vu leur incapacité à accéder aux endroits publics. On était loin de la conception de nos asiles, où les fous étaient assimilés à des curiosités et, à ce titre, dignes d'un traitement inhumain ayant pour objectif de les intégrer, vaille que vaille. Loin aussi de nos mouroirs pour vieux qui dégageaient une odeur nauséabonde d'urine et de désinfectants. Rien à voir non plus avec ces handicapés qu'on n'apercevait qu'une fois tous les quatre ans à la télévision dans l'indifférence la plus totale, lors des jeux paralympiques retransmis après 23 h.

Il se souvenait, nostalgique, des tribus amérindiennes où les fous étaient considérés comme des êtres magiques qui avaient le pouvoir de faire le lien entre la Terre et les Cieux, entre les hommes et le divin.

Donc, cette blonde américaine, très sympathique, dévoilait les paramètres qui conditionnaient le bien-être d'une population en lui évitant les affres d'une hospitalisation censée prolonger statistiquement la vie par tous les moyens.

La Sicile réunissait pour lui les avantages exprimés par cette séduisante et intelligente universitaire américaine. En premier lieu, il avait choisi de vivre dans cette ferme en basse montagne et il s'esquintait tous les jours à gravir l'allée qui menait à la grille d'entrée, non pour réceptionner le courrier, vu qu'il n'avait donné son adresse à personne, mais pour recevoir le pain frais du boulanger. L'autre argument était la position de son potager auquel on accédait, quelque dix mètres en contrebas, par une volée d'escaliers et un sentier tortueux bordé de figuiers de barbarie. L'arroser était une obligation biquotidienne dans ce pays chiche en ondées. Heureusement, tout au long de ses recherches pour dénicher son isoloir, une de ses exigences avait été de trouver une fermette dotée d'une source d'eau ou traversée par un ruisseau. La propriété qu'il avait acquise était de fait, parcourue par un petit torrent tumultueux qui s'échappait de la montagne, et qui déversait une eau glacée dans la Méditerranée par une série de cascatelles. Il y pompait l'eau destinée à un réservoir situé sur le toit afin d'assurer une pression suffisante pour le fonctionnement des appareils ménagers et de la salle de douches. Il y puisait les seaux pour le jardin éloigné en contrebas. À ce propos, il avait conclu que l'accomplissement de ces corvées s'appliquait, au moins pour ce point, aux recommandations de la blonde pulpeuse.

Pour répondre à la seconde incitation, il ne trouvait pas d'inconvénient majeur à s'alimenter de façon frugale. C'était plutôt aisé pour lui et cela seyait à sa paresse à cuisiner. Manger pour se nourrir lui convenait, se gargarisait-il. Il voyait dans le mode de vie prôné par la séduisante Américaine un atout majeur pour gravir les escaliers nombreux de sa propriété.

Le troisième point, l'intégration dans le village lui posait un problème ; là, il subodorait qu'il existait un abîme entre ce qu'il avait décidé et ce que la pétillante blonde recommandait. Fallait-il devenir un être social pour vivre encore un peu plus vieux ou fallait-il se contenter d'abréger son existence en privilégiant son contrat d'ermite ? Il tenait pour le moment à garder des distances respectueuses avec la population régionale, quitte à changer d'avis si les circonstances l'exigeaient. Il se doutait qu'il serait toujours considéré comme un touriste, ce qui ne devait pas l'empêcher de participer modestement aux manifestations locales essentiellement religieuses.

Il avait fait un effort méritoire pour se mettre à bien les villageois qu'il imaginait très croyants et assidûment pratiquants. Il avait décidé de suivre les offices de la messe du dimanche, afin de faire bonne figure et d'intégrer dans les esprits une image de lui un peu passe-partout. La première fois qu'il avait franchi le porche de l'église, toute l'assemblée s'était retournée pour le dévisager. Un peu gêné, il s'était agenouillé à la hâte du côté masculin au fond de la petite nef en hypothéquant à l'avance les gestes des fidèles pour ne pas demeurer en reste. Il avait pu ainsi régulièrement faire connaissance avec toute la population. Après quelques messes, il avait mémorisé la plupart des visages, tant féminins que masculins, et avait été à même de reconstituer les couples qui se reformaient sur le perron à la sortie de l'office. Au travers de leurs vêtements endimanchés, il n'avait pu déceler quelles étaient leurs activités professionnelles ; ce devait être des fermiers, vu leur teint hâlé, mais ce n'était qu'un faible indice. Ce qui l'avait cependant frappé, c'était l'âge de la population : la plupart des fidèles n'étaient guère plus jeunes que lui ; la majorité était constituée de personnes très âgées. Ici, le rapport précieux de l'Américaine faisait foi. Quelques trentenaires aussi, mais qui semblaient, par leur allure vestimentaire, ne pas faire partie de la vie campagnarde. Il

48

imaginait des enfants exilés à la ville, revenant voir leurs vieux de temps à autre.

Cela faisait quelques mois maintenant qu'il vaquait sur ce lopin de Sicile. Et le concept de se purger l'esprit pour atteindre la sérénité ne se réalisait pas. Il se doutait que vider son cerveau prendrait du temps au vu de la résistance farouche qu'il avait de s'y réfugier et d'y ruminer en régurgitant son passé. Il imaginait qu'un jour, les neurones, blasés, abandonneraient de guerre lasse et qu'il pourrait entrer de plain-pied dans cet endroit vierge qui le séduisait tant. Il savait aussi que sa décision de vivre en Sicile, sur ce rocher desséché, n'était pas fortuite. Il voulait y terminer tranquillement ses jours en coupant progressivement ses amarres terriennes. Parfois, l'idée saugrenue qu'il exerçait encore trop d'activités le surprenait et il s'en inquiétait. Pouvait-il supprimer les corvées dans son quotidien qui lui rappelaient sans cesse le besoin de se lier à la vie ? Mais pour atteindre son but, il ne se voyait pas s'aliter, faire une grève de la faim et, ainsi, se suicider ; il aurait pu faire ce geste dans l'Europe de sa vie active. L'idée d'une fin tragique l'avait souvent effleuré, sans qu'il n'entreprenne jamais quoi que ce soit. Il était théoricien, mais pas praticien, et puis il aimait la vie, les femmes, le vin. Le jardinage restait, de son passé, le seul souvenir qu'il a importé en Sicile ; il lui procurait une satisfaction intense, car ici tout ne demandait qu'à pousser

Il grattait méticuleusement cette terre rougeâtre qui lui rendait au centuple ses efforts parcimonieux. Il avait enceint le potager d'une clôture en treillis, car les chèvres sauvages auraient tôt fait de brouter ses choux et ses tomates. Le plus pénible restait l'arrosage, mais cela faisait partie du plan de la belle Américaine. Une cabane, qu'il utilisait à ses propres fins pour ranger son matériel de jardinage, jouxtait le potager. C'était une construction aux murs robustes qui détonnait par rapport à la bâtisse principale et surtout aux annexes qui étaient sommairement maçonnées. Un agencement de pierres, surmonté d'une toiture en tuiles, sans ouverture, hormis une porte épaisse qui se fermait de l'intérieur au moyen de deux énormes verrous. Cette construction l'intriguait. Il l'avait attribuée, à première vue, aux vestiges d'une fortification de l'époque normande, un genre d'observatoire, qui dominait la mer et qui aurait été adaptée aux besoins locaux, que les chèvres sauvages auraient colonisé, au vu du volume de crottes et de détritus qui jonchaient le sol. Il distinguait, au-dessus du plafond constitué de branches de bois mal dégrossies, un espace qu'il assimilait à un pigeonnier. Le notaire n'avait pas spécifié cette construction lors de l'achat et il s'était dit que, tout compte fait, sa taille réduite n'avait pas suffisamment d'importance pour que le maître la signalât. Elle constituait en revanche un lieu de séjour grandiose. La vue, que la porte béante offrait, lui permettait, réfugié à l'ombre de l'édifice, de jouir du vaste paysage liquide : la mer devenait horizon et sous l'à-pic devant la cabane, la falaise se déchirait en lames de calcaire rugueux qui plongeaient dans l'eau moussue. Il y distinguait la petite plage de galets : sa plage privée. Il se promettait d'y descendre, un jour, pour se rendre compte à quoi tout cela ressemblait de près ; mais cela s'identifiait à une expédition de para commando, car il n'était pas équipé pour une aventure qui pouvait se révéler dangereuse. Pour l'instant, la vague molle qui se déchirait en écumant sur les rochers suffisait à son plaisir. Il n'y avait urgence en rien.

Un jour de grande énergie conjuguée avec le plus total désœuvrement, il entreprit de désencombrer l'intérieur de la cabane ; le déblaiement de tous les détritus dégagea, à son plus grand étonnement, un plateau solide de planches jointes. Il doutait qu'un sol en bois pût résister aux assauts du temps : tout suggérait que ce plateau avait été ajouté plus ou moins récemment ou tout au moins que l'on avait apporté des aménagements à cette intrigante bâtisse. Sa curiosité fut piquée au vif. La masse d'efforts consentis étant suffisante pour la journée, posément, il se proposa de remettre à plus tard l'examen de la cabane, car le soleil cognait, féroce. Le reste de la journée fut consacré à la réflexion sur cet endroit. Il n'avait pas de connaissance particulière de l'architecture normande, mais bien quelques bribes sur les constructions moyenâgeuses, insuffisantes cependant pour poser des hypothèses tangibles sur le sujet. Est-ce qu'un plancher en bois aurait pu résister tout au long des siècles, préservé par le climat sec de la Sicile ? Y avait-il d'autres éléments qui permettaient d'affirmer qu'il s'agissait là de vestiges d'une fortification plus imposante ? Il n'avait rien remarqué et pour cause : Il n'avait jamais examiné le sol environnant, à la recherche d'indices. Autre question qui lui venait maintenant à l'esprit : est-ce que les chemins qui menaient au potager ne s'appuyaient pas précisément sur les fondations de murailles ? Il était convenu qu'une trêve de quelques jours dans sa quête de solitude et d'ennui soit la bienvenue, et il se régalait à l'idée de faire accoucher la cabane de son secret, si secret il y avait. Son sommeil fut agité. Un cauchemar qui le poursuivait depuis l'enfance était réapparu : il visitait les ruines en briques rouges d'un couvent détruit par les bombardements ; les herbes folles avaient envahi le cloître, le plafond du réfectoire s'était effondré, le ciel et les arbres constituaient une voûte inquiétante et des traces d'incendie laissaient des empreintes sordides sur les murs chaulés. Certaines fenêtres avaient résisté et il pointait son nez au travers des grillages de protection dans les chambres grises encombrées de plâtras moisis.

N'empêche qu'il était de bonne heure, le lendemain, sur le chantier. La lumière intense du matin illuminait l'intérieur par l'ouverture de la porte. Il balayait méticuleusement les recoins de la cabane, la débarrassant de ses derniers débris. Au tiers du plancher, de chaque côté, deux énormes ferrures serties dans le bois se poursuivaient dans le sol en pierre. Il épousseta le sol, avec la méticulosité d'un archéologue. Dans le coin avant du plancher, il découvrit, noyée dans l'ombre, une nouvelle ferrure qu'il dégagea fébrilement ; c'était un mécanisme simple qui ressemblait à un verrou puissant dont le pêne rouillé s'enfonçait profondément dans une anfractuosité de la maçonnerie. L'actionner manuellement lui sembla tâche impossible vue l'état des fers. Il alla, après la sieste, acquérir des outils, marteaux et burins à la quincaillerie du village voisin. Il prit soin de fermer prudemment la grille de la propriété, dérobant ainsi sa trouvaille à la vue de quiconque passerait par-là : c'était son terrain de fouilles, un jardin secret qu'il n'entendait pas partager pour l'instant. À qui aurait-il pu d'ailleurs confier cette énigme, ici, alors qu'il ne parlait à personne ? Tant qu'il ne songeait qu'à se débarrasser de ses vieux démons, une conversation intérieure lui suffisait, mais, à présent, il mesurait l'abîme qui l'empêchait de partager ses émotions, et il se découvrit troublé, frustré, regrettant cette trouvaille qui bouleversait son processus. La soirée fut sombre et le vin inefficace pour l'égayer. Le cauchemar du couvent bombardé réapparut, les murailles éventrées du réfectoire, les parois humides, les poutres calcinées, les herbes folles, et lui en courtes culottes, agrippé à la main d'un adulte et tenaillée par l'angoisse de visiter ce lieu dévasté, hanté par de sinistres Esprits.

52

Au soleil levant, quelques coups de marteau suffirent pour dégager le pêne de son logement. Il entendit sous ses pieds le bruit métallique du mécanisme qui coulissait. Il le manœuvra quelquefois, retirant la fine poussière qui bloquait le dispositif. Il était en nage, essoufflé, rompu par des efforts qu'il n'avait plus produits depuis belle lurette. Il s'assit sur le plancher, déconcerté par sa découverte, car il ne pourrait s'empêcher d'être envahi par la curiosité et de poursuivre l'exploration de l'intrigante cabane. L'examen plus approfondi des pentures latérales décapées à coup de burin livrait leur fonctionnement : le prolongement des deux pièces cylindriques soudées sur une embase dans le bois s'emboîtait dans d'autres ferrures plates fixées sur le sol en pierre. Il eut tôt fait d'identifier l'ensemble à deux axes puissants qui s'articulaient comme des charnières.

Tout s'agitait dans sa tête : le plancher, les Normands, les Siciliens formaient une sarabande folle. Cela ruinait pour le moins et pour un bon bout de temps, son intention de faire le vide dans son cerveau ; et en même temps, emporté par la curiosité, il ressentait une certaine béatitude. Qui pouvait rester indifférent devant le questionnement ? Pourtant, il se rappelait l'anecdote vécue par un ami artiste, un peintre célèbre à l'époque, qui en effectuant dans le jardin de sa somptueuse propriété des travaux d'égouttage avait eu la surprise de mettre à jour des vestiges d'os humains, des tessons de céramiques et d'autres objets non identifiés. Devant cette aubaine, peu de gens auraient résisté à inviter un cercle d'archéologues afin de leur faire part de la découverte pour élucider l'identité des anciens occupants du site et faire un don généreux aux musées des environs ; le peintre écarta impérieusement cette option, hallucinant son parc envahi par des cohortes d'ouvriers, experts de toutes sortes qui baliseraient son aire de quiétude, entreprendraient d'autres fouilles, monopoliseraient son bien et sa sérénité. Le peintre envisageait avec horreur le déferlement des médias qui auraient fait la une de leurs journaux de cette découverte, en l'occurrence une tombe ou le soubassement d'une construction plus vaste encore, sur laquelle sa maison – et pire – son atelier était érigé ; il fit reboucher l'excavation par les ouvriers et leur fit jurer le silence en les saoulant toute la nuit. Le lendemain, l'entreprise de travaux creusait une tranchée d'égout sur un autre tracé et la découverte fut oubliée. D'autres générations en profiteraient peut-être, mais pas celle de son ami peintre.

Il referma la lourde porte, regagna l'ombre de sa terrasse et s'étendit pour réfléchir : rien ne pressait.

Il avait élu domicile en Sicile parce que ce pays lui avait paru indiqué pour soulager ses méninges, et voilà qu'un insolent destin lui désignait à nouveau son profil de chercheur. La paix de son esprit semblait la chose la plus importante, car il avait l'impression de vouloir se débarrasser d'une espèce de vanité qui l'empêchait de vivre simplement. Comprendre lui compliquait finalement la vie et parfois il se demandait s'il n'aurait pas préféré être un animal pour ne rien avoir à penser sinon manger, boire et trouver une femelle lors des périodes de rut. Encombrants, ces 1350 grammes de matière grise toujours en surchauffe, à l'affût d'un détail pour le provoquer, afin de se régaler d'explications échevelées. Moins il y aurait à comprendre, pensait-il, plus son cerveau serait au calme, comme son chien qui restait couché toute la journée devant une fenêtre et dont seule une oreille qui frémissait de temps à autre trahissait la vie dans cet amas de poils. Il aurait aimé en arriver là et découvrir, peut-être, la léthargie de la machine insensible aux sollicitations, car finalement, le cerveau ne faisait que réagir à son environnement : plus celui-ci était agité, plus l'ordinateur biologique devait s'activer pour le calmer et lui assurer le sommeil. Chez lui, en Europe du Nord, il ne dormait pour ainsi dire plus, la moindre contrariété allumait des gerbes d'idées qui le tenaient éveillé, les paupières lourdes, la bouche pâteuse. Il s'extrayait de son lit, vaquait mollement, pillait le frigidaire, buvait du vin dans l'obscurité, à même le goulot de la bouteille, se resservait jusqu'au moment où il sentait que le calme revenait en lui, que les muscles de son corps se détendaient et que son cœur reprenait un rythme rassurant. Il pouvait se recoucher, mais souvent, le jour était déjà levé. Il ne lui restait qu'une option : chauffer l'eau pour le café, faire le tour du potager dans l'aube, les pieds nus dans l'herbe glacée et humide : une nouvelle journée moite commençait.

Ici, en Sicile, loin de toutes les contingences européennes et toute vie culturelle qui l'avait porté, il espérait que tout ce qui agitait son cerveau prendrait de la distance et s'évaporerait, le laissant serein et libre pour convoiter d'autres nourritures spirituelles. Il voulait oublier, certes, ces meurtrissures, mais aussi les échecs et les réussites, et surtout se débarrasser des regrets et des remords. Les remords qui le rongeaient au plus profond exigeraient du temps pour se dissiper, pour autant que le gommage fût encore possible ; il pensait que dans les homes pour les vieux rabougris, les croûtons de la société, les ancêtres oubliés dans leur fauteuil, seuls devant la fenêtre, devaient ruminer sans cesse les poltronneries de leur existence, tout ce qu'ils n'avaient pas osé faire, tous leurs désirs bridés, et à cela, pas de solutions puisque la lâcheté prenait toujours le dessus ! Quel bonheur de ne vivre que les regrets éternels, de prendre le risque de se tromper ! Échouer n'était pas dramatique, le principal étant d'avoir tenté l'essai. Au diable les reproches. En

Sicile, les regrets faisaient encore partie de son quotidien, il fallait donc croire qu'il n'était pas suffisamment épuisé pour abandonner. Les banderilles dans sa nuque ne l'avaient-elles pas assez épuisé ? Il ne voulait surtout pas devenir amer ; cynique, oui ; cynique, il le revendiquait, cela faisait partie de son caractère.

C'est ce marchand d'art qui en avait été, le déclencheur. Tout cela parce qu'il avait osé. Il avait osé demander une entrevue pour présenter son travail artistique. Cela faisait des années qu'il œuvrait discrètement dans son atelier. Sa famille et un cercle restreint d'amis s'enthousiasmaient poliment à la vue des curieuses choses qu'il concevait. On ne comprenait pas son langage et, comme ce qu'il faisait ne correspondait pas aux critères à la mode, il se sentait seul avec son expression artistique. Position inconfortable dans une activité dont le fondement repose sur l'échange avec l'autre. Apparemment, il était son seul interlocuteur, car dès qu'il abordait un tant soit peu ses motivations, il sentait l'ennui poindre à l'horizon, les regards se détourner, les questions esquiver le sens de la conversation. Alors, il abandonnait, diplomatiquement. Le courage lui manquait pour présenter son travail hors de ce cercle étriqué et cette carence d'audace le blessait. Au fond de lui, il ne pouvait cacher cette rancœur de ne pas être reconnu. Engager la conversation avec ce marchand à la réputation flatteuse, lors d'un vernissage dans sa prestigieuse galerie, avait exigé, pour lui, une dose d'énergie inhabituelle. À une expérience peu commune du monde si particulier de l'art contemporain, ce marchand cristallisait, autour de cette réputation flatteuse, un cercle de collectionneurs avertis. Il avait non seulement pignon sur rue ; mais de surcroît, sa galerie luxueuse était implantée dans un quartier huppé qui seyait à merveille à tout le tralala coutumier de ce genre d'activité : cocktails plantureux, champagnes givrés, aréopage de mondaines couvertes de fourrures été comme hiver, et tout ce petit monde fascinant qui gravite autour de l'art contemporain. De plus, atout combien important, le marchand entretenait avec l'étranger un commerce d'œuvres prestigieuses pour amateurs très avertis.

Soutirer à ce marchand un rendez-vous avait été pour lui une épreuve qui avait engendré un stress jamais ressenti ; alors que d'ordinaire, il était peu sensible à l'aspect extérieur des choses ni impressionné par quiconque, il avait eu, cette fois, la sensation amère de quémander une entrevue. Il en avait presque perdu ses moyens, au point de devoir dissimuler tant bien que mal un début de bégaiement aussi inattendu que surprenant. Pourtant, le marchand affable avait tout simplement proposé de fixer un rendez-vous par téléphone sur un ton courtois qui l'avait décontenancé.

Le jour de l'entrevue, il était passablement énervé ; la secrétaire – erreur ou distraction – s'était trompée de jour : on l'attendait la semaine précédente et aujourd'hui, un autre artiste faisait les cent pas dans la galerie. Mais il avait décidé que, cette fois, c'était son tour. Il y avait assez longtemps qu'il postposait cette audace et pour une fois il n'accepterait pas d'être dépassé dans la file. Ne désarmant pas devant les doléances du marchand qui lui proposait de mettre la rencontre à plus tard, il insista, son agenda en main, fusillant du regard la secrétaire réfugiée derrière son écran d'ordinateur. Finalement, le marchand négocia avec l'autre personne qui accepta de patienter

« Un quart d'heure », s'entendit-il dire.

Il n'aurait qu'un quart d'heure pour défendre le travail d'une vie. Il devrait se montrer radical. Il avait habilement préparé la rencontre : un dossier comportant 10 photos A4, sur papier glacé en couleurs, des pièces judicieusement choisies, celles qu'il estimait les plus convaincantes, qu'il glissa sous le nez du marchand passablement énervé lui aussi. Pas de blablas : de l'efficacité.

« Vous n'avez pas de temps à perdre, moi non plus », dit-il, en remettant la farde au marchand assis derrière un immense bureau design.

Le marchand examina attentivement les photos qu'il sortait une à une de la chemise. À la troisième image, le marchand murmura :

« Pas mal ».

À la cinquième photographie, le marchand s'exclama en le regardant, par-dessus ses lunettes :

« Intéressant ».

Le marchand referma le dossier par une phrase détonante :

« Cela me parle »

La joie qui l'envahit à ce moment aurait dû l'emporter, sa poitrine aurait dû exploser sous les coups de boutoir de son cœur. Mais non, il restait calme, serein, sans émotion particulière. « Enfin, se disait-il, voilà quelqu'un capable de reconnaître mes qualités ». Il était là où il trouvait normal de se situer quand on est homme de talent comme lui. « En fait, c'était simple, se disait-il en regagnant son domicile : on est envieux de ce qu'on n'a pas et quand on le possède, cela devient insipide ». Tout n'était encore qu'une facette insidieuse de la consommation. Toutes les portes s'ouvraient, la plus grande largement béante. Dire qu'il avait laissé passer tant d'années à freiner son orgueil, à maudire son manque d'audace pour oser présenter les résultats de sa recherche ! Jamais il n'avait supposé qu'il obtiendrait peut-être un assentiment, mais la trouille d'imaginer que ce pourrait être, éventuellement, un non, cet affront, il préférait l'escamoter plutôt que de le recevoir en pleine poire. Il échafaudait des plans qu'il considérait comme une simple justification à son génie. La planète devait enfin le découvrir et ce marchand allait employer tout son talent, et surtout ses moyens colossaux, pour diffuser son art. Il imaginait des expositions dans toutes les capitales cotées. Paris, Londres, Ney York, Tokyo, Shanghai deviendraient ses pied-à-terre. » A star is born hurlait-il dans sa tête.

Le marchand lui expliqua qu'il devait réfléchir à la stratégie à mettre en place pour défendre et promouvoir un nouvel artiste ainsi qu'aux aménagements que l'organisation de sa saison devrait consentir. Il comprit que le marchand devait se donner un peu de temps avant de prendre une décision. Ceci lui parut sensé, professionnel et de bon augure.

Les semaines suivantes furent fébriles. Il développa dans sa tête des projets pharaoniques pour satisfaire les besoins des musées qui ne manqueraient pas de s'alimenter à sa source. Un mois plus tard, il ne tenait plus en place. Il appela le marchand pour connaître sa décision et ses intentions.

« Monsieur dit la voix chaude au téléphone, votre travail est très intéressant ». Et après un silence, elle ajouta :

« Mais ce n'est pas pour moi, c'est trop risqué ! »

Le cornet du téléphone se mua en glaçon. Il resta sans mot dire. Qu'ajouter à cela ? Ce pleutre se dégonflait et se satisfaisait d'exposer des demi-récoltes ; il préférait donc les maigres rentrées d'argent à court terme plutôt que de viser le succès : alors qu'un poulain prometteur, bien engraissé lui aurait rapporté le centuple.

Une colère froide, paralysante, l'écrasait au fond du siège dans lequel il semblait s'être incrusté.

Il lui fallut trois semaines de rugissements pour digérer l'affaire. Mais plus encore pour oser recommencer l'expérience.

Car maintenant, il avait compris le dilemme du Caravage et de tous ces artistes inconnus dont on exhumait l'œuvre après leur mort. Il passait, à nouveau du statut de présomptueux, à qui le tapis rouge était déroulé, à celui de l'artiste pour lequel la majorité des portes seraient à jamais fermées. Ces marchands aveugles et stériles ne pensaient qu'à l'argent rugissaient les lobes de son cerveau. Ils n'avaient sur l'avenir du monde qu'une vision myope, pécuniaire et maladive. Mais alors, d'où venaient tous ces artistes que l'on retrouvait dans les catalogues des expositions huppées ? Étaient-ce aussi des demi-portions que des boutiquiers chétifs propulsaient timidement ? Était-ce pour cela qu'il ne ressentait que de chétives émotions en arpentant les expositions, rien que molles expressions et fades envies qui le déprimaient.

Il lui fallait découvrir un marchand lucide, convaincu par son talent. C'était une tout autre démarche devant laquelle il était totalement rétif. Un marchand assez fou pour croire en ce que personne ne voyait ! Un illuminé, en quelque sorte. Il ne devait pas y en avoir des masses sur la place.

Il lui en faudrait de la réflexion et de la patience pour résoudre ce problème et sauter l'obstacle !

Le temps le servit au-delà de ses espérances, mais dans une tout autre direction. Il ne chercha point ce marchand miraculeux, de telle sorte qu'il n'eut aucun remords, au moment où il prit la décision de rejoindre la Sicile, de liquider tout son travail et de l'envoyer à la décharge. À quoi bon se fatiguer pour des ignares, se justifiait-il, et si les générations suivantes ne pourraient pas se régaler de son acuité, il s'en tapait les cuisses, car dans sa tombe ce serait certainement le dernier de ses soucis.

Allongé au frais, sous les gros ficus de la terrasse, sur le banc qui lui servait parfois de lit, il essayait d'évacuer ses fabulations sur l'art, en se concentrant sur sa découverte et l'opportunité de s'y intéresser, car le problème était de taille. S'il portait son attention sur ce plancher, son projet de vivre en Sicile une expérience lumineuse volait en éclat. Est-ce que la malchance allait le poursuivre jusqu'ici ?

Et voici que ce foutu parquet venait remettre en question toute cette belle hypothèse. Il ne devait pas préjuger à la hâte. D'abord, il s'octroierait une pause pour s'habituer au changement dans sa routine afin d'être, passé ce temps de réflexion, mieux à même d'envisager d'autres décisions plus plausibles. À moins qu'il ne recouvre le plancher de terre et de gravats et qu'il retourne à ses méditations. C'est sur ces bonnes intentions qu'il s'assoupit. La nuit fut agitée : des cauchemars sur fond de guérilla le submergeaient, le pays était envahi par une armée de mercenaires silencieux, il était poursuivi, il se cachait dans le jardin de sa grand-mère, se réfugiait dans l'atelier de son oncle ou dans des abris sommaires pour bestiaux, réminiscences oniriques de son enfance à la campagne. Il ne devait son salut qu'à une parfaite connaissance du terrain qui lui permettait de se dissimuler et de disparaître au vu de l'ennemi. La bouche pâteuse, il se leva tard, expédia le petit déjeuner puis dégringola souplement les escaliers et les sentiers rocailleux qui menaient à la cabane. Il se rendit compte que, finalement, les exercices quotidiens d'escalade de son talus avaient bonifié son souffle ; l'image de la belle universitaire étasunienne l'effleura. Il rêvait de la contacter pour lui confier tout le bien qu'il pensait d'elle.

Fébrile, il avait dégagé la gâche de son logement dans la maçonnerie à l'aide du pied-de-biche. Tout inondé de sueur, il recula dans l'ombre au fond de la cabane, s'assit à même le carrelage en pierres qui bordait le plancher pour reprendre haleine et fut stupéfait de constater que le plancher se soulevait tout seul, entrebâillant une ouverture suffisante pour qu'on puisse y distinguer un espace sombre encombré de toiles d'araignées. Abasourdi par la découverte, il ne comprenait pas quelle était l'astuce qui actionnait cette trappe ; il s'imaginait dans un vieux film d'Indiana Jones où la moindre pression sur un mécanisme secret suffisait pour faire pivoter des portes géantes en pierre. Il appuya sur le plancher et celui-ci, docile, reprit sa position. La gâche dans le mur servait uniquement à le maintenir. La pression manuelle suffisait pour le positionner horizontalement, soit par un appui des bras, soit par le poids de son propre corps. Il constata le phénomène en s'écartant à nouveau du plancher ; à la moindre sollicitation, le pesant plancher s'exécutait. Il essuya, d'un revers du poignet, les gouttes de sueur qui perlaient sur son front ; il comprit que le tout s'articulait autour des axes qui fixaient la trappe au tiers de sa longueur et que, si la pénibilité était compensée, c'est qu'un contrepoids sous le mécanisme équilibrait l'ensemble. À quatre pattes devant l'ouverture béante, il soufflait comme un phoque asthmatique. Il y avait belle lurette qu'il n'avait plus produit d'effort mental similaire, si bien que tout s'agitait dans sa tête. Pour comprendre le mécanisme, il devait trouver le contrepoids et plonger dans l'univers repoussant des toiles d'araignées. Il avait emporté une lampe torche. Le fin pinceau lumineux révélait un escalier en pierre conviant à la descente. Il utilisa un manche de bêche comme étai pour maintenir la trappe ouverte, puis écarta les agglutinats de fils gluants. Il resta accroupi au bord de l'espace noir, hésitant devant l'inconnu, ahuri par cette nouvelle découverte et surtout intrigué par l'odeur qui s'en échappait, une forte haleine d'algues marines. La lumière livrait, au travers des écrans accumulés de toiles d'araignées et de poussière, une cave de pierres. Il posa un pied sur la première marche, écarta ensuite les amas de soies collantes qui s'accrochaient à ses cheveux et maculaient ses vêtements. Méfiant, il vérifia que la bêche maintenait solidement la trappe ouverte, de peur qu'elle ne lui retombe sur la tête lorsqu'il serait engagé ; pas question de prendre le risque de se retrouver enfermé comme un rat dans cette cave où personne ne viendrait le chercher. Encore faudrait-il qu'il y ait quelqu'un dans cette région pour s'intéresser à lui.

C'est en se débattant avec les fils gluants et en s'accrochant à la paroi de pierre qu'il aboutit au fond de la cavité. Il arracha des amas de toiles pour libérer l'espace et se rendre compte de son volume, tout en testant du pied la solidité et la consistance du sol. Le faisceau de la lampe découvrit un local taillé dans la pierre. En dessous de la trappe s'ouvrait, béant, un gouffre sombre, dans lequel pendait le contrepoids du plancher. Il avait bien deviné. C'est de là que l'haleine puissante de la mer, caractérisée par cette odeur d'algue qu'il avait perçue, s'exhalait. Il se pencha au-dessus, grisé par le vertige. Cette ouverture l'hypnotisait, il imaginait un puits sans fond envahi par l'eau qui devait suinter plus bas. Il poursuivit son inspection. La cave, de volume plus imposant qu'il ne l'avait suspecté, comportait des niches taillées dans le roc, et dans ces alvéoles, étaient alignés des coffres en bois ! Un trésor !

Était-ce une cache des partisans de Garibaldi ? L'ancien bandit unificateur devait avoir arpenté la région après que, vainqueur, il eut débarqué à Marsala tout proche. Ces coffres recelaient un trésor oublié dans cette cachette ! Cette curiosité aiguë devenait douloureuse, son ventre se tordait sous les chocs des sentiments variés qui le submergeaient.

De quand datait ce dépôt ? À qui appartenait-il ? Il lui sembla que sa vie basculait ici, dans ce trou en Sicile. Il se sentit envahi par une onde froide qui lui glaçait les tempes, un stress incontrôlable agita ses jambes. Le souffle court il dut s'appuyer contre la paroi poussiéreuse, dans la pénombre. Sans freiner son ardeur, la bouche sèche, à l'assaut d'un bastion, le croc ferme dans ses mains tremblantes, il arracha la serrure du premier coffre à l'aide du pied-de-biche et à sa stupéfaction, il découvrit, enveloppés dans des toiles grasses un pistolet mitrailleur Thompson M1A1, puis une Kalachnikov AK47, et enfin des mitraillettes MP5 qu'il aligna sur le muret. Dans une fébrilité proche de l'inconscience, il ouvrit le second coffre et celui-ci livra un fusil de chasse à canon scié et des boîtes métalliques remplies de cartouches. Les autres caisses contenaient des Beretta 12, des armes de poing, d'autres Kalachnikovs ainsi que les munitions ad hoc. Garibaldi était loin de tout cela. Il était en présence d'un arsenal relativement récent, typique des actions terroristes. Le tout était en parfait état. Il connaissait bien cet armement pour l'avoir si souvent manipulé lorsqu'il était milicien ; il reconnaissait l'odeur fade de l'huile qui protégeait les canons et le mécanisme précis de la détente. Les émotions étaient trop envahissantes : il remballa soigneusement les dangereux engins, referma les coffres et émergea à la lumière du jour. L'ingénieux mécanisme d'ouverture du plancher lui permit de clore le tout sans effort. C'est avec la sensation d'être complètement broyé qu'il regagna la terrasse à l'ombre du soleil maintenant haut dans le ciel. Un broc d'eau fraîche épancha sa gorge rugueuse, il épongea avec le manche de sa chemise sa nuque liquéfiée et abandonna son regard au vide.

Il n'avait pas encore entamé sa quête de libération du cerveau que le destin lui signifiait brutalement le sens de la réalité.

64

Qu'est-ce que cette affaire, cet arsenal dans sa propriété ? À qui avait appartenu cette ferme ? Il n'avait guère porté attention, lors de la signature des actes, au nom des anciens fermiers, déjà décédés au moment de la vente. Le prix modeste de cette propriété dégradée, mais bien située ne l'avait pas intrigué.

Ce cerveau au chômage qui tournait en roue libre sera de la plus grande utilité pour élucider cette affaire.

Les armes signalaient un péril, et il était assis sur ce danger, il ne pouvait admettre un tel obstacle dans le chemin vers la plénitude qu'il s'était tracée ; il lui fallait résoudre cette énigme, se reconstituer, pour revenir à sa quête initiale, à savoir devenir un sage ; mais avec cet arsenal sous les pieds, cet idéal semblait s'éloigner, pensait-il désespérément. Un philosophe pacifiste, propriétaire d'une armurerie, cela ne collait pas au décor.

Le lendemain, il fonça tôt en voiture vers Palerme. Dans un magasin de matériel d'alpinisme, il acquit cordes, mousquetons, baudriers, casque et lampe de tête, salopette et bottines, prétextant une balade de spéléologues. Le soir, en rentrant dans sa propriété, il s'étonna de bloquer la grille d'entrée, ranger sa voiture sous les acacias et combles de comble, la fermer à clef. Il n'y avait pas assez de précautions à prendre ; il était sur le pied de guerre.

Il se remémora un reportage sur la guerre d'Irak décrivant plus particulièrement l'entraînement des troupes britanniques. Ces unités d'élite avaient, à s'y méprendre, suivi le même entraînement que lui, il y avait 50 ans déjà. À l'époque, il avait trouvé ce service militaire très instructif et passionnant, a contrario de tous les racontars qui couraient sur la classe. Les miliciens déploraient une année perdue et des soirées gaspillées à la cantine à se saouler avec les « gamelles » pour passer le temps. Idéaliste ou pas, naïf ou aveugle, lui avait trouvé cette année extraordinairement enrichissante et il aurait bien rempilé s'il en avait eu le courage. Le peloton auquel il appartenait était composé de gens sympathiques, plutôt intellectuels : ingénieurs, scientifiques, licenciés en toutes sortes de matières, architectes et enseignants, ce qui permettait d'entretenir des conversations passionnantes, et, plutôt que de glander la soirée au bar de la troupe à reluquer la cantinière bienveillante, c'était autour d'un échiquier que les joutes se passaient. Ce groupe était comme lui enfiévré par les exercices en tout genre que des sergents sévères et exigeants leur prodiguaient à longueur de journée. En fait, ils avaient des cours théoriques l'avant-midi et des activités pratiques après le dîner. Le plus difficile était peut-être le réveil : à cinq heures du matin, le sifflet strident d'un officier les invitait au cross obligatoire. Mais quelle forme il avait acquise ! Lui qui abhorrait toute activité sportive, s'était retrouvé tout en muscle et jouissait de ce corps souple et endurant qui réagissait si bien à ses volontés.

Les premiers soins constituaient les prémices de leur entraînement. Il avait acquis une formation pour prodiguer à n'importe quelle blessure, fracture ou commotion, les premiers soins essentiels. Comme dans les jeux de survie, tout aussi pratique était la conception d'une civière pour transporter un compagnon mutilé. Il ne s'était jamais posé de question à l'époque sur l'utilité de ces formations dans le cadre d'un service militaire, trop intéressé par les bandages, les garrots, les attelles, les désinfectants et les comprimés stérilisants. La suite était plus étonnante encore : tout le peloton acquérait le permis de conduire sur un camion. À l'époque, c'était une aubaine pour beaucoup de personnes, car les voitures étaient rares et maîtriser leur manœuvre était réservé aux classes commerçantes ou aisées. Non seulement conduire, un camion ou une jeep était requis, mais il devait y ajouter qu'on leur prodiguait aussi les rudiments de l'entretien d'un véhicule ? Infirmier-garagiste, à quoi cela peut-il servir ?

La suite se révélait plus amusante, mais tout aussi intrigante : il devait identifier n'importe quelle arme, fût-ce au départ du détail le plus insignifiant. Voilà pourquoi les fusils, mitraillettes, pistolets découverts en Sicile ne lui étaient pas étrangers ; c'étaient de vieilles connaissances, car il en avait étudié tous les mécanismes, rodé qu'il était pour les démonter dans l'obscurité totale, les entretenir et les remonter. Il posait là, sans le savoir, les bases de ses qualités futures de bricoleur de génie. Mais à cela s'ajoutait l'identification des différents modèles de tanks, avions et charrois des armées de l'époque, des Soviétiques, en particulier. Vu que la guerre froide régnait, il était essentiel de bien connaître l'ennemi désigné. L'instruction s'était poursuivie par l'utilisation d'armes légères ; ses compagnons d'armes étaient devenus de redoutables snippers. À 400 mètres, la cible n'avait aucune chance. On s'amusait bien au champ de tir, bien mieux que dans une baraque foraine.

Après, des ingénieurs du génie civil les avaient formés pour acquérir les rudiments nécessaires en vue de construire rapidement un pont, accessible par un véhicule telle une jeep, le tout avec uniquement des cordes et des rondins de bois ; donc, les cordes, il connaissait.

Ensuite, ce furent de belles journées au bord d'un lac au cours de l'été pour concevoir des radeaux destinés au transport des camions. Des fûts métalliques de 200 litres, des cordes et des madriers suffisaient, et, puisqu'on était censé être en milieu maritime, il avait appris l'abc des débarquements dans des péniches semblables à celles que l'on voyait dans les films de guerre en Afrique du Nord, sur les côtes normandes et dans les îles du Pacifique dès 1942, lors des assauts des troupes alliées.

Le plus excitant avait certes été cette instruction sur la manipulation des explosifs ; les exercices se déroulaient dans un terrain très isolé qui ne comportait que marécages et trous, un peu comme le champ de bataille de Verdun. À la suite de cela, il était devenu expert dans l'art de faire sauter un pont, d'éclater avec du mastic le tronc d'un arbre pour le basculer en vue d'entraver une route, de piéger un piano ou une poupée afin qu'elle pète à la figure de celui qui la toucherait, et magique du magique, de miner une surface de la dimension d'un terrain de football pour enfin venir, la nuit, le déminer sans qu'un « Tunder flash » lui arrache une partie des mains ; il avait alors acquis des doigts de fée.

Enfin, dans un autre terrain d'exercice aussi particulier, il avait été instruit au maniement de toutes les armes légères que ce soient les mitrailleuses point 30, les bazookas, les mortiers, le tout épicé de jets de grenades. Le grand feu d'artifice. Mais ce qui le ravissait le plus après les attaques en hélicoptères, les descentes en rappel, les traversées de ravins sur des ponts de singes ou des systèmes de cordes encore plus rudimentaires, c'était le dernier mois, pendant lequel il avait appris à tuer un homme uniquement avec les mains ou mieux à l'aide d'un manche de bois. Tous les membres du peloton se régalaient de cet exercice pour le moins peu ordinaire. Il s'était acharné à fracasser d'un coup, d'un revers de la paume, la nuque de mannequins en crin, à leur bloquer le cœur d'un coup de coude au thorax ou encore à leur écraser la carotide avec les pouces. Le soir, ils s'entraînaient en groupes à frapper contre des objets matelassés pour endurcir les tranches de leurs mains. Le sentiment de pouvoir exécuter un homme rien qu'avec sa force physique, lui donnait une assurance incroyable. Et cela se ressentait. Même dans les lieux les plus louches des quartiers chauds proches de la garnison, lieux qu'il fréquentait maintenant, il n'avait jamais été inquiété par la faune sauvage qui les peuplait. Parfois même, il toisait du regard les individus les plus agressifs, sans toutefois déclencher la moindre animosité. Que le monde était devenu pacifique !

Il n'avait saisi que bien plus tard, en regardant cette émission de TV sur la guerre d'Irak, qu'il avait été formaté comme un terroriste ou un tueur. Le niveau cultivé et le comportement très méthodique des intellectuels de ce peloton en auraient fait, en temps de guerre, des individus redoutables, des guerriers !

Le lendemain, alerte, frais, nerveux, il se trouvait tout équipé dans la cave de la cabane, au bord de ce trou qui l'intriguait au plus haut point. Il tremblait d'impatience, mais aussi de trouille, car, à son âge, il ne possédait plus les facultés nécessaires à un alpiniste pour glisser en rappel dans le vide. Il doutait surtout de ses forces lorsqu'il s'agirait de remonter à la surface. Il avait appréhendé la profondeur du gouffre et il espérait que les longes atteindraient le fond. Le marchand d'équipements d'escalade lui avait conseillé de se munir d'un jumar qui permettait le hissage, ce qui le secourrait lors de l'ascension vers la surface. Il accrocha un mousqueton aux ferrures qui maintenaient le contrepoids au plancher, y fixa une poulie, vérifia, en pesant de tout son poids, la solidité de l'ensemble et jeta la corde dans l'abîme. Bien arrimé, et maintenant le brin libre du descendeur auto-freinant dans la main, il fit un pas dans l'anfractuosité et se trouva suspendu au-dessus du vide qu'il inspecta au moyen de sa lampe frontale. Ce vide consistait en réalité en un long boyau cylindrique et, stupéfaction de stupéfaction, il découvrit abasourdi, des échelons en acier fixés sur le rocher. Il s'y agrippa et ainsi arrimé à la corde initiale, il descendit précautionneusement les marches. Il testa une à une leur solidité à l'aide du marteau qui devait servir à enfoncer les pitons. Elles étaient rouillées, mais ne présentaient pas de signes de fragilité. Du bel ouvrage, se dit-il. Le boyau s'ouvrait, après une vingtaine de mètres, sur une vaste grotte à laquelle on accédait par le plafond. Il prit pied, quelques mètres plus bas, sur un rocher plat. Il s'arrima solidement au dernier échelon pour examiner en détail l'endroit où il se trouvait. L'obscurité était dense, mais la lueur de la lampe éclairait des parois de calcaire hérissées de stalagmites et stalactites. Le rocher sur lequel il avait pris pied constituait une sorte corniche qui ceignait l'espace. En contrebas, il distingua une mare d'eau noire dont il ne discernait pas l'étendue ; voilà d'où provenait cette odeur d'algues qui l'avait frappé lors de la première ouverture de la trappe : il se trouvait au niveau de la mer. Lui, qui rêvait de la maison de Malaparte, de son escalier vertigineux plongeant dans l'eau verte du golfe de Capri, se découvrait, malgré lui, propriétaire d'un gouffre sinistre qui donnait accès à une piscine souterraine ! Il essaya de se moquer de lui-même pour remonter un moral défaillant. Tout ceci l'intriguait, l'inquiétait, et il ne comprenait rien.

Il éteignit sa lampe pour préserver les piles et reprendre haleine, adossé à la paroi humide. Il était rompu par l'effort fourni, ses mains étaient écorchées par les fers rouillés et le rocher rugueux, ses mollets présentaient les signes avant-coureurs de crampes. Fatigué, mais excité aussi ! Ses pensées avaient quelque peine à se concentrer, car le sentiment qui l'habitait maintenant était l'angoisse. Il avait peur de ce trou, peur de la profondeur du bassin et peur du silence qui régnait dans cette caverne. Les paupières closes, concentré, appliquant

70

des bribes des recettes de méditation, en contrôlant sa respiration. Il décortiqua le silence du lieu. Il discerna le clapotis qui murmurait sous ses pieds. L'eau remuait ; donc, si elle bougeait, c'est qu'elle devait avoir un contact avec la mer toute proche. Ses yeux s'habituaient à la pénombre et lui permirent de distinguer une lueur opale sous la mare. Peu à peu, le halo se fit plus présent, plus lumineux, et vira au turquoise : il y avait un conduit vers l'extérieur : c'était la lumière du jour qui perçait sous la roche. Il devina le passage. Il s'aventura sur le rebord étroit qui longeait le bas de la caverne tout en s'amarrant solidement, au moyen d'une sangle, au bas de l'échelle métallique. Il avança dans la pénombre, pas à pas, avec la lumière comme azimut, en enfonçant au marteau des pitons dans les parois pour y clipper des mousquetons. La coursive irrégulière de pierres, polies par l'eau et rendues glissantes par des algues, faisait le tour de la mare. Le rebord dessinait un coude et, au-delà, la lumière verte de la Méditerranée apparut sous le rocher qui barrait le passage et qui affleurait à la surface de l'eau. La mer mugissait de l'autre côté de ce mur, puisqu'il entendait maintenant le bruit des vagues qui claquaient sur la pierre. L'eau était d'une limpidité extraordinaire, le fond de cet aquarium lui apparaissait absolument net : du calcaire blanc sur lequel il distinguait des bancs de poissons de toutes les couleurs. Le spectacle aurait été féérique dans un lieu différent de ce gouffre sinistre et humide. Une grotte extérieure communiquait, uniquement par ce siphon, avec la caverne, ce qui expliquait le secret de son emplacement. Les côtes de la Sicile regorgeaient de ce genre d'anfractuosités que des touristes découvraient en fouillant les falaises avec des petites barques. Des guides siciliens joyeux commentaient : la grotte du chameau, de la vierge, de la tortue, en essayant de trouver une curiosité spécifique à chacune d'elle au travers des masses chaotiques de calcaires que les millénaires avaient accumulées et que des déferlantes opiniâtres avaient sculptées.

Et voilà qu'il découvrait un repaire que des contrebandiers résolus avaient dû exploiter, car il suffisait d'approcher la falaise, et de mettre à l'eau des colis lestés pour qu'ils passent sous l'aplomb du rocher : avant de se retrouver, un jour, à la surface via l'escalier de service.

Il avait une hypothèse solide pour élucider la présence de la cabane du jardin. Ses craintes en furent quelque peu apaisées.

Le problème, maintenant, c'étaient les armes, car ces contrebandiers ne devaient pas faire dans la dentelle avec cet arsenal. Comme les coffres paraissaient ne plus avoir été ouverts depuis des décennies, cela prouvait que leur existence comme celle de la caverne était ignorée pour ne pas avoir été visitée depuis longtemps. Ce constat le rassura finalement ; il vivait sur une casemate, mais pourrait continuer son petit bonhomme de chemin vers la quête de la sérénité qu'il s'était fixée. Il dissimulerait les caisses dans la cave où il avait remarqué des anfractuosités assez vastes pour les accueillir ; il les scellerait par une maçonnerie et le tour serait joué. Il ne se voyait pas les détruire. Posséder des armes constituait un tabou pour lui. Il craignait que leur détention provoque l'occasion de s'en servir lors des colères terrifiantes dont il se savait capable. Mais cette sorte de prohibition, il la refoulait jalousement, car l'attrait d'une machine aussi expéditive le fascinait. Il se voyait bien garder le fusil de chasse et l'utiliser pour se débarrasser des sangliers qui retournaient régulièrement le verger ; mais, au nom de quoi, importuner ces braves bêtes qui ne faisaient de mal à personne ?

Il se sentait soulagé : il pouvait enfin poser des mots sur sa découverte : le secret terrifiant qu'il pouvait contenir ne semblait pas source de danger. Il revint sur ses pas et entreprit de remonter à la surface, cette fois, via les escaliers, pour vérifier leur solidité, tout en utilisant l'habile mécanisme d'alpiniste pour se hisser le long de la corde et assurer sa sécurité.

La soirée sur la terrasse fut arrosée au vin puissant du pays et c'est quelque peu éméché, qu'il s'écroula sur son matelas. Des rêves de guerre l'envahirent une fois encore. Cette fois, c'était dans son village natal que des belligérants le traquaient. Il s'était enfui par l'arrière des jardins. Il ne circulait que la nuit, se terrait le jour dans des creux de fossés ou des tanières d'animaux. Il avait une mission : protéger un groupe d'inconnus parmi lesquels une femme qui semblait amoureuse de lui. Il était le chef d'un peloton de résistants.

Cette découverte dégageait les débris qui encombraient la voie de son extase. Il était ravi de la tournure des événements, car il y trouvait une issue positive.

Le temps s'écoulait dans l'observation négligente des oiseaux, des insectes et des rares nuages qui écloraient au-dessus de la montagne. Meubler le moins possible la journée était la tactique mise au point pour atteindre un ennui qu'il imaginait faste et luxueux. Il voulait un ennui majestueusement vide où pas une sauterelle ne présenterait de l'intérêt, pas une fleur ne l'émouvrait de son parfum. Il désirait un ennui brut, violent, qui le foudroie et l'emporte vers les abysses qu'il avait imaginés, et voilà que, maintenant un autre abîme sous ses pieds réclamait son attention. Pas facile d'y échapper. Il pouvait murer définitivement cette cave et y enterrer à jamais son secret. Mais ce local souterrain était séduisant. Il était propriétaire d'une merveille de la nature ; les eaux de ruissellement avaient progressivement creusé dans la pierre calcaire un boyau vertical qui débouchait sur une roche plus fragile, laquelle s'était transformée, des millénaires plus tard, en une vaste caverne. Avec l'aide de la mer qui rongeait l'autre flanc, la nature avait conçu une grotte de fées, accessible uniquement aux esprits aventuriers. Mais ces esprits possédaient des armes redoutables. Cette idée le faisait frémir. Qui pouvaient avoir été ces gens ? C'est sur eux qu'il devait couler une chape de béton pour oublier, oublier à nouveau.

Les jours suivants furent consacrés à maçonner un appareil de pierres pour obstruer une loge où il entreposa les coffres en prélevant au préalable le fusil de chasse à canon scié et à la crosse en noyer poli, ainsi qu'une boîte de munitions dans une boîte en carton. L'arme fut dissimulée dans un placard, à l'abri des regards d'Angélina. Il tira quelques cartouches, un soir d'orage, lorsque les éclairs fendaient l'espace et que le tonnerre faisait vibrer toute la campagne. La poudre grillée qui flattait ses narines racontait au travers de la mémoire olfactive, la guerre qu'il avait vécue, enfant. L'âcre parfum des appareils de téléphonie en bakélite, les relents de graisse et d'essence des gros camions GMC, les relents sécurisants de la naphtaline des couvertures des GI. Ces odeurs, à elles seules, formaient les ingrédients suffisants pour reconstituer le film d'une armée en marche abandonnant, ça et, là, le matériel superflu.

Il envisagea un court instant d'aménager un escalier confortable dans la cave pour accéder plus aisément à la caverne et y prendre des bains d'eau de mer ; une sorte de baignoire privée, mais cette activité aurait été le siège d'un remous d'affairements aventureux qui risquait de mettre en péril son contrat. Il oublia progressivement l'incident, ou, plutôt, il le rangea dans un tiroir de sa mémoire. Les journées reprirent leur train-train, dans le silence de cette belle campagne. L'hiver approchait. C'était sa première expérience de la saison froide dans cette région et il se demandait à quoi ressemblerait le pays sous une température modérée dont l'activité allait encore baisser d'un niveau, comme il l'espérait. Ce lui fut pénible de retourner au potager, de ranger les outils dans la cabane en pierre, d'esquiver le secret du plancher et surtout de son contenu. Il avait recouvert le sol de terre et de débris végétaux qu'il avait soigneusement damés du pied après les avoir arrosés d'eau. Toute trace du passage mystérieux avait disparu. Ce détail aiderait, à coup sûr, son cerveau à oublier. De toute évidence, il fallait qu'il récupère le temps perdu et qu'il gagne la confiance de la solitude. Avec ce secret, sa sérénité avait pris de la distance, il ne se sentait plus seul, il y avait désormais une présence sur ce terrain. Fallait-il pour cela déménager, encore fuir ?

Parfois, il souhaitait terminer ses jours en captivité, car là il avait l'impression de créer les conditions idéales pour vivre seul sans être dérangé. C'était un de ses nombreux leitmotive : n'est-ce pas en prison que l'on trouve la liberté intérieure ? Une cellule pour lui et les rondes des gardiens comme unique distraction. Il n'allait tout de même pas occire quelqu'un pour avoir le loisir de passer le restant de ses jours dans un établissement pénitencier ! Il voulait un temps immense pour penser sans être dérangé.

L'hiver s'accompagnait de pluies et de vents, le pays ne semblait plus aussi hospitalier. Il se demandait si le fait de le trouver moins accueillant que dans son rêve n'était pas dû à un petit moment dépressif qui l'accablait depuis cette encombrante découverte. Il pressait Angélina de lui trouver un professeur d'italien, mais Angélina paraissait démunie à ce propos. Les visites hebdomadaires à l'église s'espacèrent ; il souffrait de se confronter à cette ambiance à laquelle il n'adhérait pas.

La Sicile grelottait en hiver, les nuits glaciales figeaient le paysage au matin. Un soleil généreux le réconfortait, dans ses gros pulls, l'après-midi. Angoisses et espoirs alternèrent les journées raccourcies et les nuits à rallonges. Pourquoi les variations de saison influençaient-elles son humeur, lui qui se targuait de voguer au-dessus du tempérament de la nature ? Le solstice du printemps fut accueilli avec soulagement ; il eut des envies de feux intenses, des bois secs qui éclatent à l'incandescence, de joues rougies par les flammes, pour fêter l'arrivée du printemps joyeux.

5

Il avait repris ses modestes activités de jardinier. À l'instar des fils jaune et vert d'une installation électrique, il éprouvait un impérieux besoin de se brancher à la terre pour soulager l'électricité statique qu'il avait l'impression d'accumuler dans son cerveau. Survolté par les pensées furieuses qui l'inondaient régulièrement, il avait un besoin intense de calme. Il avait découvert que fouler l'argile, pieds nus, lui apportait une véritable jouissance qu'il utilisait avec la plus grande délectation ; sentir la glaise lui livrer son intimité humide et, entre les orteils, voir surgir des petits boudins mous le ravissait ; il plongeait dans la terre comme d'autres dans leur bain. L'expérience lui apportait une sérénité neuve et il ne se privait pas d'en abuser. Le potager était devenu un lieu de détente et la récolte de légumes paraissait accessoire tant il voulait presser la terre entre ses orteils. Il se demandait s'il ne faisait pas de la régression en s'appropriant les initiations des bébés qui jouaient avec leurs excréments. Fallait-il y voir un retour à une expérience anale qu'il n'avait jamais connue ? Est-ce qu'une mère trop soucieuse de son hygiène ou est-ce que sa culture, tout simplement, lui en aurait peut-être dérobé le plaisir ?

Plaisir anal, nenni ! Sexualité natale, bien sûr, avait-il lu un jour en découvrant les pages flamboyantes d'un psychanalyste autrichien d'avant-guerre. Il y avait, dans les écrits de ce spécialiste du nazisme, des conclusions édifiantes dont il n'avait retenu qu'une version édulcorée. Les langes culottes, qui apparaissaient comme un immense bienfait de la civilisation au confort du bébé, constituaient, en fait, un écran implacable entre son instinct et son sexe, ce qui équivalait à la barbarie d'un viol. Mais cet acte n'était pas dépourvu d'intentions. Au contraire, il induisait des conséquences qui, sous des relents d'eau bénite, conditionnaient toute la population à une prédisposition au fascisme. Cet Autrichien prémonitoire démontrait dans sa clinique, en 1935 que les enfants privés de génitalité anale constitueraient plus tard le lot des travailleurs anxieux, brutaux, soumis, dociles, sadiques, peu créatifs, mais sexuellement obsédés. Tandis que les nourrissons libres de leurs gestes, ceux qui pouvaient découvrir leur corps, en faire des sujets d'expériences riches et variées, corsés du plaisir de mastiquer entre leurs doigts une merde chaude, odorante et malléable, fonderaient une population active, aimant leur emploi et prolixe en suggestions pour en améliorer les conditions, tout en développant une sexualité déculpabilisée et non-agressive. Il en était arrivé à foudroyer les publicités innombrables qui vantaient les avantages de la couche-culotte, son hygiène et le confort du bébé. On fabriquait d'une façon inconsciente ou consciente des individus potentiellement dangereux et des refoulés sexuels. Il y entrevoyait les prémices qui permettaient de saisir l'agressivité de la société judéo-chrétienne occidentale et son adhésion perverse à la douleur du corps. L'allié le plus fidèle de cette contribution à la peine était, sans conteste, la religion avec son concert d'interdictions du plaisir, l'idéalisation du martyre comme passage obligé, la séparation des sexes aussi bien dans l'office et dans les textes bibliques que dans toutes les étapes de la vie et surtout le mépris profond pour la femme. Il surprenait ses amis, jeunes parents en visite à son domicile, lorsqu'il dépossédait le bambin de sa couche-culotte et qu'il le laissait trotter joyeux, arrosant et tartinant allègrement son intérieur. Cela faisait mauvais goût, et il était le premier à en subir les inconvénients. Les parents gênés riaient, pour le moins jaune, otages contraints d'une telle insalubrité. Mais lui pensait au poupon, et considérait qu'une fois au moins dans sa période de nourrisson, le bambin aurait eu connaissance de ce plaisir-là. Avec un peu de chance, il aurait enregistré c quelque part dans son inconscient et il n'aurait de cesse toute sa vie de la retrouver.

Ici, en Sicile, il renouait avec ce rite ancestral. Jouir de la terre, c'est un peu faire l'amour avec elle, riait-il. Pour que l'expérience soit la plus intense, il inondait copieusement le sol, de telle sorte que, le lendemain, l'humus humide livrerait toute sa félicité. Arroser le potager rythmait ses journées oisives. Un gentil sauvage naissait en lui, conscient de la qualité de la terre et des ressources que celle-ci pourrait lui apporter.

L'élève indiscipliné de Freud, épris de pacifisme, inventeur fumeux du « téteur d'éther », l'accompagnait dans sa mission ultime. Mais au fond n'était-il pas comme ce dernier, épris d'idéalisme ? Il avait appris que Wilhelm Reich avait fini ses jours dans un hôpital psychiatrique aux États-Unis, après y avoir été acclamé comme un dieu. Lui n'avait jamais été considéré comme une idole dans sa vie chétive d'artiste retors, mais peut-être qu'un asile l'attendait au bout de son cheminement en Sicile. Il n'avait jamais suspecté que la maison de fous serait, sans nul doute, un enfer, pour un rebelle aussi mécréant que lui, dans cette région si croyante et tellement asservie à la religion. L'universitaire américaine aurait pu vérifier sur lui l'effet de ses théories brillantes et il s'imaginait un chapitre supplémentaire à la thèse de la belle. Non seulement il fallait être bien intégré dans la population locale, mais encore il fallait entretenir avec la terre-mère une interaction harmonieuse. Non, il devait arrêter de penser : cela n'engendrait que de nouvelles théories fumeuses qui l'absorbaient et l'éloignaient sans cesse de son but. Il n'était pas venu ici pour s'enterrer ; le mot était approprié, ni une fois de plus pour refaire le monde ; il devait se limiter à couler des jours paisibles en Sicile, pour lui et rien que pour lui ; il découvrait que ce n'était pas facile de s'occuper de soi, et d'abandonner tout regard sur les autres.

Il remonta lentement le chemin escarpé qui le conduisait à l'ombre de sa maison ; il était en nage, des perles de sueur dégoulinaient le long de l'arête de son nez, sa chemise offrait de larges auréoles de transpiration, mais il savait, en haletant, que cet exercice suggéré par la belle Américaine lui préparait un noble avenir : il vivrait vieux, ici, en Sicile.

C'est accompagné par ce couple blond austro-américain qu'il buta sur les pieds d'un homme qui somnolait sur une chaise à l'ombre de sa terrasse.

L'étranger, s'avisant de sa présence, souleva le chapeau qui masquait ses yeux et releva le front en le dévisageant. Il soutint le regard inquisiteur de l'intrus qui le décortiquait. Les yeux sombres, finement bridés, surmontés de gros sourcils broussailleux donnaient au personnage un côté touffu. La peau de l'inconnu, très basanée pouvait être celle des paysans du coin ; le visage osseux, fripé de petites rides évoquait un homme âgé. Il se sentait dans la position d'un animal domestique qu'un acheteur convoite, examiné sous tous ses angles pour en déterminer les faiblesses et les qualités, palpé et ausculté en même temps. Les yeux noirs et vifs le transperçaient dans un curieux silence. « Mais oui », se dit-il, « voici un autochtone qui

80

daigne me rendre visite ; accueillons-le suivant les lois les plus chaleureuses de l'hospitalité ». Il esquissa un sourire et tendit la main en signe de bienvenue, mais le laser noir poursuivait son inspection méticuleuse, l'évaluant, le soupesant, ignorant le geste. Il s'empressa de remplir une carafe d'eau fraîche et posa les verres sur la table toute proche. C'était un grand jour, car il sentait que la population locale venait de rompre le pacte d'indifférence envers lui et envoyait un émissaire de bonne volonté, un sage, sans nul doute. Le chapitre trois du rapport de la belle Américaine se concluait ici de façon positive. Ce n'était que le premier pas vers une intégration, mais c'était un signe encourageant. Il avait le sentiment de se trouver dans un film où l'on voit les premiers colons américains intrigués, dévisager les Indiens de la grande plaine. Le premier contact avait été certainement l'observation mutuelle et le décryptage de signes qui permettent de se comprendre.

L'étranger était vêtu en toute simplicité : une chemise ouverte à longues manches malgré la chaleur, un pantalon de toile grise et surtout de grosses bottines fatiguées. Le fusil posé contre le mur l'aurait plutôt identifié comme un chasseur. Le gaillard paraissait intelligent, surtout déterminé et méfiant. Il dédaigna les gestes de bienvenue et n'émit aucun signal de sympathie. Ils se retrouvèrent face à face, l'étranger assis dans sa chaise et lui debout, le fixant, un peu interloqué par cette irruption dans son quotidien. Il versa l'eau et remarqua que, jusqu'à présent, aucun mot, aucun bruit n'avaient été émis. Quel curieux émissaire la population locale avait choisi pour entamer la négociation entre les deux protagonistes ! Ça ne semblait pas simple, à première vue, mais il se sentait riche en louables intentions pour dénouer la timidité naturelle que ce genre de situation ne manquait pas de créer.

Il se remémorait ces visites où il recevait avec bienveillance les témoins de Jéhovah qui frappaient à sa porte ; il leur réservait bon accueil et leur octroyait tout le temps nécessaire au déballage de leurs honorables principes. Il leur posait mille et mille questions sur leurs points de vue sur leur lecture de la Bible, les abreuvait de théories sans jamais les contrarier, les assommait de demandes d'attestations et de preuves, jusqu'au moment ultime, celui qu'il avait préparé et qui donnait à la rencontre toute sa jubilation : celui où les deux compères en costume sombre et petit attaché-case regardaient leur montre pour évaluer la durée de l'entretien. Il tenait le bon bout, car il replongeait dans l'interrogatoire impitoyable, épuisait les religieux qui, finalement, demandant grâce, sollicitaient que l'entrevue s'abrège. Il n'en tenait pas compte : ils étaient prisonniers de son accueil et devaient supporter son bon vouloir jusqu'à l'apathie, dépourvus d'argument. Leur journée de prédication consommée, ne pouvant faire d'autres victimes à ce jour, ils imploraient qu'il leur ouvre la porte, mais lui n'en avait cure et les harcelait impitoyablement.

Ainsi, pensait-il, les adeptes répandraient à la ronde la rumeur d'éviter à tout prix ce bavard qui leur faisait perdre leur temps.

Le sommet de cette délectation jouissive, qu'il dégustait à la petite cuillère, culminait lorsque des comparses venaient, à leur tour, sonner à la porte pour rappeler à l'ordre les témoins enchevêtrés, leur signaler que la journée n'était pas terminée et qu'il leur faudrait encore distribuer des extraits de la « Tour de garde ».

Émergeant lentement de ces souvenirs lointains, il atterrit en Sicile pour constater objectivement que le délégué régional envoyé en reconnaissance ne transpirait pas l'eau bénite. Il ne l'avait jamais croisé à l'église. Ce n'était pas, à coup sûr, un homme âgé, mais plutôt un individu buriné par le climat et la vie. Derrière ce profil mince et coriace, il décelait une force physique non négligeable. Il entrevoyait, en s'apitoyant, que ce mutisme augurait une personne sensible, sujette à des pertes de mémoire. Il pressentait déjà que, devant une situation stressante, l'individu se réfugierait dans le silence.

Il s'assit, en face de lui, de l'autre côté de la table ; peut-être que rester debout l'exaspérait. Il ne ressentait aucun courant de sympathie entre lui et ce chasseur et il commençait à trouver cette intrusion dans son domicile peu à son goût. Que pouvait-il faire de plus, sinon parler ? Il se saisit donc de son dictionnaire français/italien et lui glissa sous le nez la traduction du mot « Chasseur » – « Cacciatore ». L'autre ignorait la page et continuait à le dévisager. Pas l'ombre d'un sentiment ne filtrait. Sentant un malaise grandissant, il se dit que peut-être, il n'avait pas respecté les règles locales de l'accueil et que l'étranger, vexé, refusait d'entamer un dialogue. Il se pouvait aussi que celui-ci fût malentendant ou mutique et que son attitude devant l'infirme frisait au ridicule ; au lieu de l'amadouer, il ne faisait que l'effaroucher.

Mais tout de même, ce chasseur qui s'introduisait chez lui le narguait en définitive, car ce type le défiait. Il était vraiment différent de ces Siciliens extravertis qui chantaient dans la campagne ou au volant de leur voiture.

Une vague glaciale gélatinait son corps, il se sentait tout à la merci de cet étranger qui semblait s'imposer et faire le ménage chez lui. Tout compte fait, le vieux n'avait toujours pas dit le moindre mot et n'avait exprimé ni sentiment ni soupir depuis leur rencontre. Ce n'était pas de l'effarouchement, mais une froide obstination à gérer la situation en terrain conquis. Il se leva et lui tendit pour la seconde fois une main complaisante, pour l'accueillir, pour engager la conversation ; les gens d'ici sont tellement exubérants et généreux, pensait-il. L'étranger dédaigna le geste, pointa lentement un index vigoureux dans sa direction, puis se souleva de son siège pour se rapprocher de lui, le doigt autoritaire sous son nez. Il avait l'impression de se trouver nez à nez avec un reptile venimeux, un mamba noir à la piqûre mortelle. Il fixait la main qui semblait si dangereuse, une main fine, aux articulations souples, aux articulations parsemées d'un léger duvet noir, soignée, la main d'un manuel, non, mais celle d'un intellectuel.

Et si c'était le professeur tant attendu, un professeur d'italien qui testait déjà ses connaissances... on en serait alors à la première leçon ! Vite, il saisit le dictionnaire, et en tourna fébrilement les pages. Une suée coulait dans son dos. Il avait beau s'éponger le front avec le revers de sa manche, il était en ébullition et paradoxalement, il percevait le froid de ses genoux glacés qui se dérobaient sous ses jambes. Il s'assit, chercha « professeur ». Ses doigts raides peinaient à trouver la page, il prononça à haute voix : « professore ». Il réprimait le tremblement de sa voix. L'autre avait compris, il se sentait en territoire reconquis. Il sourit, ironique.

« Mais quel idiot je fais ! C'est un Sicilien. Pour une fois qu'un régional fait l'effort de me rendre visite, accueillons-le comme il faut, à l'italienne », se dit-il au fond de lui-même, tout ragaillardi. Il alla quérir une bouteille de vin, du bon, il fallait que cet intrus transmette à la ronde que l'Européen connaissait les lois de l'hospitalité, qu'il n'était pas aussi bourru ni bizarre qu'on pouvait l'imaginer. Il apporta du jambon et deux verres qu'il remplit à ras bord pour signifier sa générosité. Il fallait arroser l'événement, montrer son contentement et le plaisir de recevoir un Sicilien sous son toit. Il reprenait du terrain, investissait à nouveau sa maison. Il devait tout simplement l'apprivoiser, comme un animal sauvage, le vin et le jambon n'étaient-ils pas les signes les plus adéquats d'une évidente bonne volonté ? Finalement, c'était un grand jour : un habitant du pays, un autochtone, daignait faire sa connaissance. Cela ressemblait à un début d'intégration. Il leva son verre à la santé de l'étranger. L'étranger le regarda boire, mais ne dévissa pas de la chaise. Son l'attitude se révélait de plus en plus arrogante. Mais, tout compte fait, il était chez lui ici et ce n'était pas ce vieillard intrusif qui le narguerait, qui l'importunerait. Il retrouvait sa confiance et son énergie. C'en était assez de cet énergumène. Il voulait se réapproprier sa solitude. Qu'il débarrasse le plancher ! Sa grossièreté devenait insupportable et son mutisme s'apparentait tout simplement à un manque d'éducation.

Il lui signifia en français et tant pis s'il ne comprenait pas que cela suffisait, qu'il était prié de quitter les lieux et, pour que son intention soit claire, il fit mine de lui saisir le col de la chemise en lui indiquant la sortie. Il ne pouvait plus supporter ce grossier personnage qui refusait les règles les plus élémentaires de l'hospitalité.

L'autre posa sa paluche gauche sur la table avec la détermination d'un piston de pelle mécanique mû par un système hydraulique puissant. La table et le corps se confondirent en une seule matière, dure comme le roc. Il présenta la paume en la creusant pour en faire une coupelle, tout en vissant un regard dur et cruel dans les prunelles de son hôte. De la main droite, celle qui l'avait nargué, tout à l'heure, l'autochtone fit, au-dessus du creuset, glisser le pouce sur la première phalange de l'index. Il comprit à ce moment que le vieillard exigeait de l'argent.

Donc ce n'était qu'un gredin, un truand arrogant qui mendigotait. Extorquer de l'argent à lui ! Là, le mendiant perdait son temps ; ce n'était pas ce vieillard poussiéreux et chétif qui lui imposerait sa loi ! Et puis, de quel droit, au nom de quelles règles demander, exiger ainsi rémunération ? Il ne faisait pas partie de la famille des bécasses, toute sa vie n'avait été que rébellion contre l'autorité, contre tout abus, contre toute injustice, et il n'était pas disposé à se laisser tondre. Il décida de prendre la chose sur le ton de la rigolade et puisque le dialogue était impossible, il continuerait sur le ton du mime. Il introduisit ses deux mains dans les deux poches respectives de son short, pinça le tissu à l'intérieur et les extirpa comme deux chaussettes vides pour lui faire comprendre qu'il était démuni.

Le geste ne fit pas sourire l'étranger ; au contraire, il se raidit. Prenant appui sur la table, le vieux se leva pesamment. Vissant à nouveau son index accusateur sur sa poitrine, il grogna dans un accent rocailleux qui l'impressionna :

« Domani, cento Euros[1] ».

C'était la première fois qu'il entendait le son de sa voix, une voix autoritaire, un ton sans concession. Il se sentit glacé malgré la chaleur.

Le chasseur se redressa lentement sans le quitter des yeux, prit son fusil, qu'il passa en bandoulière et le planta là en escaladant d'un pas alerte et rapide le chemin qui menait à l'entrée de sa propriété.

D'où sortait ce type ? Et quel malappris ! Bien que furieux, il s'en trouvait tout retourné. Il ne saisissait pas le sens de la situation. Était-ce une blague, ou était-ce un voyou qui le faisait marcher ?

---

[1] Demain cent Euros.

Il avait compris que l'autre demandait de lui verser cent euros le lendemain. Ce n'était pas ce braconnier maigrichon qui l'intimiderait et au nom de quoi pourrait-on lui extirper de l'argent ? Il bouillait sur place : il aurait bien exhibé le fusil à canon scié pour recevoir l'intrus le lendemain et lui montrer qu'il n'était pas homme à se laisser faire. Des idées de terribles vengeances se télescopaient contre les os de son crâne. Il se sentait violé, sali dans son honneur et dans sa lâcheté. Se défendre, se disait-il, mais comment tenir tête à un abrutit pareil ? De plus, ce vieillard ne l'avait même pas menacé de son arme, sa détermination froide avait suffi à l'ébranler.

Qui était ce chasseur qui venait l'importuner ? En temps normal, il l'aurait prié de quitter les lieux au plus vite, mais il se sentait embarrassé par cette visite et mal à l'aise. Voilà les problèmes dus à la non-compréhension qui déboulaient dans sa vie, mais il ne les avait pas envisagés sous cet angle-là. La soirée tiède, qui annonçait le printemps et les chaleurs, fut agitée sous son chapeau de paille. N'y avait-il pas au monde un endroit où l'on puisse ne rien faire sans déranger personne ? Il avait choisi les Siciliens pour leur grande aptitude à profiter de la vie et du soleil et voilà coup sur coup deux événements à quelques mois d'intervalles qui le contrariaient. Le secret de la cave, en voie de convalescence, n'était pas encore totalement résorbé que ce chasseur belliqueux s'invitait chez lui. Que lui voulait-il ?

La réponse arriva le lendemain, tout aussi surprenante, sous la forme d'un jeune gaillard, aux muscles saillants, à la même allure grossière que celle du vieillard arrogant de la veille. Débouchant dans sa propriété au volant d'une motocyclette bleue, dans un nuage de poussière, cet individu lui fit comprendre, par gestes éloquents, qu'il lui faudrait, à l'avenir, s'acquitter tous les mois de cent euros. Son dictionnaire ne contenait pas les injures qui abondaient dans sa tête ni les explications qu'il réclamait, mais l'autre faisait semblant de ne pas piger et, au contraire, le menaçait de signaux des doigts très significatifs pour définir le rançonnement inattendu. La situation ne prêtait plus en rien à la plaisanterie, il le sentait ; il avait affaire ici à un homme jeune et costaud, un maffioso sans scrupules, qui exécutait les ordres du vieux chasseur venu l'avertir hier soir. Devant ce gaillard apparemment rompu à la bagarre, il ne faisait pas le poids ; il prit l'enveloppe qu'il avait préparée avec un billet de cent euros et la lui jeta avec mépris. Le costaud la fourra en poche, arbora un sourire vainqueur et disparut dans la poussière du chemin.

Pendant qu'il vaquait à ses occupations, la maffia locale avait à son insu observé son comportement dès les premiers mois de son arrivée, supputé ses revenus et, là-dessus, estimé la somme d'argent redevable pour l'assurer de sa tranquillité. Sa quiète douceur était hélas tarifiée. Il fulminait en réalisant son désarroi et l'absence de défenses.

« Arrivederci[2] », car il reviendrait tous les mois !

Il était désemparé, à la merci d'une bande d'escrocs. Lui qui avait idéalisé la maffia et s'en gaussait il y a quelques mois encore, sans se douter que l'organisation criminelle n'avait pas sur lui la même opinion que lui sur elle. Il faut dire qu'en fréquentant le village et les alentours, il avait fait la publicité d'un personnage oisif, donc aisé. Ses revenus évalués devaient rapporter à la famille locale son écot. Qui avait pu le dénoncer ? La femme d'ouvrage ou Emilio ou les habitués du dimanche au bar de la place du village ? Encerclé d'ennemis, il ne serait jamais plus à l'aise dans sa ferme, car, même s'il ne fréquentait personne, il aurait le sentiment d'être observé. Que faire, sinon

---

[2] Au revoir

le gros dos ! De toute façon, attendre et voir comment le comportement du jeune motocycliste allait évoluer. Il craignait que le chantage se poursuive et que la somme exigée soit progressivement augmentée jusqu'à son étouffement. Il n'y avait pas l'once d'une plaisanterie dans le regard et les gestes décidés du vieux chasseur. La vie n'était pas monotone en Sicile, comme il l'avait espéré. Cet épisode comblait ses lacunes concernant le troisième chapitre de la thèse de la belle sociologue américaine. Maintenant, il était intégré socialement au village et y occupait la fonction qu'on lui avait trouvée ; il sut ainsi qu'il vivrait encore plus vieux qu'il l'avait imaginé. Plaisanter était l'unique solution qui lui permettait d'affronter l'adversité, car, seul sur cette terre étrangère, il ne pouvait même pas se confier à quelqu'un. N'était-ce pas le notaire ou l'agent immobilier qui l'avaient renseigné à la maffia locale ? Avant, il était sur pied de guerre pour dénouer le secret de la cave ; maintenant, il était sur la défensive ; la paranoïa le guettait tant il imaginait des ennemis partout. Est-ce que l'épicière versait une redevance, et le boulanger, et le fermier voisin ? Est-ce que tous ces gens vivaient sous la coupe des bandits ou étaient-ils tous membres de cette famille d'escrocs ?

Que de questions sans réponses ! Pas tant que cela, en définitive ; il était bien un « client » de la maffia locale et n'avait plus qu'une chose à faire : obtempérer. La rage ne le quittait plus, il tournait en rond dans sa propriété, s'esquintant à gravir les talus et à dégringoler les chemins de terre. Son tempérament de guerrier pacifique s'accommodait mal de ce chantage. Mais se rebeller contre ce pouvoir obscur, ici, supposait des moyens gigantesques tant la maffia était bien organisée. Bien des politiciens s'y étaient attaqués, mais la bête tentaculaire avait toujours gagné les duels et ce n'est pas lui, ce vieux monsieur respectable – cela le faisait encore sourire – qui allait changer la situation. Non, il faudrait, le plus rapidement possible, retrouver la sérénité qui lui manquait profondément. N'y avait-il pas à chaque situation une panoplie de compromis pour la conserver ? Et puis les cent euros ne grèveraient pas son budget d'une façon inconsidérée. Ici, cela représentait une somme importante tandis que, dans son Europe industrielle, le chiffre n'avait pas un poids comparable. Ces pensées l'envahirent et l'obsédèrent plusieurs semaines, mais elles eurent un effet bénéfique : il oublia le secret pesant de la cave. La ponction mensuelle du motocycliste s'insinua dans le rythme de ses activités en le distrayant même ; concept difficile à admettre : être diverti par un escroc et en tirer plaisir, il en était encore loin. La pétarade de la motocyclette bleue dégringolant la pente du chemin rocailleux n'éveillait en lui aucun sentiment de sympathie. Le rançonneur arrivait le matin, presque en même temps que le boulanger, lorsqu'il attendait que son café refroidisse : à croire que le maffieux et le boulanger étaient familiers.

Maintenant, sur ses gardes il observait le pays sous un autre point de vue ; puisqu'il était intégré ! Il se devait de mieux connaître ce qu'il avait superbement ignoré jusqu'à présent. Lors d'une des randonnées qu'il entreprit pour découvrir la région en sillonnant méthodiquement les petits chemins de campagne à bord de son véhicule, il reconnut la motocyclette bleue du costaud, appuyée sur le mur d'une modeste bâtisse, dans une ferme isolée, près d'un village voisin.

Sans piper, mot de la pénible situation qu'il vivait, il observa d'un œil neuf et méfiant, le comportement de la femme de ménage et du jardinier. L'expérience coûte cher, ne cessait-il de se dire pour se consoler, ce qui ne faisait qu'exhumer les souvenirs douloureux de conjonctures similaires.

Il lui fallait donc encore effacer et mettre au placard ces déceptions. Ce n'était pas chose aisée parce qu'il lui semblait que le destin, en permanence, lui glissait des cailloux dans les chaussures pour lui rappeler ces moments pénibles. Il avait appris, par expérience, qu'un deuil durait entre trois et douze mois. Au-delà, l'aide extérieure était indispensable pour dépasser le seuil de cette douleur éternelle. Ici, ce n'était pas tout à fait le même processus qui était en route : tandis qu'il croyait avoir scellé ces injustices dans des tiroirs bétonnés, les aléas du destin déterraient ces momies de sa mémoire. Où se réfugier pour bénéficier d'un avenir neutre, sans encombre ? L'idée de la prison le taraudait, mais on ne peut pas intimer aux gardiens de l'ordre de vouloir être enfermé, sans avoir commis un délit.

Parfois, il se demandait si sa quête de l'ennui à tout prix n'était pas une utopie, car décider de s'ennuyer était un exercice aussi difficile à atteindre que mettre en équilibre sur la pointe une aiguille à tricoter ; théoriquement, c'est possible, mais en pratique, les chances de réussite sont pour ainsi dire nulles. Ce n'était pas une raison de désespérer. Se lever le matin sans projet d'aucune sorte et s'asseoir sur le banc, à l'ombre des ficus, en attendant que la lassitude l'envahisse lui semblait quelque chose d'immensément fragile, car, dès que l'ennui le surprenait, il y avait toujours, à un moment ou l'autre, un oiseau, un insecte, un nuage, une pensée qui affectait son attention. Ce n'est pas pour rien que les personnes qui s'adonnent à la méditation dans des retraites contemplatives le font dans des monastères, que les séances de recueillement se déroulent dans des cellules dépourvues de toute décoration et de tout artifice. Avait-il en lui une vocation religieuse ? N'aurait-il pas mieux fait de se retirer dans une abbaye pour y poursuivre sa quête d'oubli. C'est vrai que, derrière cet ennui, il se réservait l'opportunité de faire son introspection. Débarrassé de ses vieilles rancœurs par cette pratique de la contemplation, il se voyait récuré comme après une séance au hammam, d'où l'on sort tellement desquamé que l'on a l'impression d'être une éponge et que la première tasse de thé suinte immédiatement au travers des pores largement dilatés. Voilà qu'il revenait sur son leitmotiv : une profonde méditation l'aurait préparé à rencontrer la mort ; car à son âge, il n'avait plus de projets concrets, sauf celui d'être propre pour le passage dans l'au-delà. C'est vrai qu'il venait en Sicile – il devait bien se l'avouer – pour terminer ses jours, mais pas tout de suite. Comme la chantait Brassens : mourir pour des idées, oui, mais de mort lente : Len-hen-hen-te !

6

La notion d'ennui demeurait tout de même, pour lui, un domaine envoûtant à explorer ; il le voyait comme un territoire vierge, une jungle impénétrable criblée de piège et d'ennemis invisibles : un Nouveau Monde qui le fascinait. Il jonglait avec une équation qu'il avait composée et qui mettait en relation l'ennui et le vide. Le vide semblait détester sa situation et pour la résoudre avait la propension à se remplir. Se remplir de quoi ? Avec sa petite expérience de la vie, il devait constater que le matériel qui comblait le vide de l'existence était constitué de désir. L'existence avait du sens si le désir était omniprésent, si l'ennui s'installait, l'existence perdait sa substance. Il tournait en rond avec cette équation : si on admettait qu'il n'y avait pas de sens, ou si on éliminait celui-ci, il ne devait rester, au fond du creuset, que l'ennui ou le désir : éradiquons le désir, il ne restera que l'ennui, c'était mathématique. Il ne se trompait pas, apparemment. Donc sa première étape, logique, consistait à éliminer le désir, toute envie, mais il ne se lassait pas pour autant.

Cette expérience consacrée à l'ennui ne faisait qu'exhumer des souvenirs douloureux, il aurait fallu supprimer sa mémoire. Comment peut-on effacer tout ce qu'on a retenu de sa vie ? « Delete » est la touche magique du clavier de l'ordinateur. Chaque fois qu'il la pressait, il éprouvait un soulagement proche de la béatitude : surtout ne pas réfléchir, ne garder que le sentiment de plénitude totale de vider, nettoyer, faire place nette, car spéculer lui aurait donné des remords. Mais la touche était trop puissante, il aurait fallu qu'elle soit progressive. Il ressentait la même jouissance avec une tronçonneuse ou un taille-haie en main : ainsi armé, il se transformait en terroriste sanguinaire. Plus il coupait, plus la forme des buissons devenait élégante. Il s'arrêtait, essoufflé, lorsqu'ils étaient réduits à l'état d'un tronc court, comme des bonzaïs. Son jardin avait subi ce genre de coupe sauvage, de mise à nu, qui lui donnait un sentiment de rectitude, comme un gladiateur qui affronte la nature avec des armes suffisantes pour la dompter. Son bonheur se concrétisait lorsque la végétation était à ses pieds, soumise, encadrée, limitée, autorisée seulement aux endroits qu'il avait choisis : un parterre ceint d'un muret, des chemins empierrés qui accentuaient la sensation aride du désert. C'est dans les parcs minéralisés qu'il discernait la trace de la pensée humaine, dans ces terrasses de ville encombrées de pots de fleur et de jardinets suspendus qu'il susurrait une délectation jouissive. La nature devait être circoncise, pressée, contingentée, afin de lui soutirer ce bonheur. L'esthétique raffinée des jardins n'était que le reflet de cette pensée, alignements de haies, chemins rectilignes, absence de mauvaise herbe, terre dénudée exposée au regard. Rien ne le fascinait autant que les travaux d'excavation. Il adorait ces engins puissants, bulldozers, pelles mécaniques qui écartaient les entrailles de la Terre pour exhiber ses muqueuses, béantes, humides, lisses, brillantes, satinées, vierges et inoffensives. Il serrait les dents lorsque les crocs en aciers s'enfonçaient dans le ventre du talus et le raclaient. Il tendait le cou pour saisir les secrets intimes arrachés et révélés au jour par la pelle géante, les pelages roux, noirs ou pâles, les cailloux mis à vif comme les molaires d'une gencive, les masses molles ou gluantes déversées dans des bennes ou poussées par les lames métalliques rutilantes pour égaliser, aplanir, ouvrir le paysage. Oui, la nature devait être domptée. Pour lui, elle était devenue, à l'apparition de l'homme en son sein, son ennemie la plus perfide. Dans le contexte actuel, cela devenait paradoxal eu égard aux discours à la mode sur la protection de l'environnement et le développement durable. Non la nature devait être exploitée comme une esclave et tenue à distance par des murs de béton ou des digues de rochers. Il pressentait que l'existence de l'homme sur cette planète résultait d'une expérience précaire. Il avait été passionné par un album pour enfants qui expliquait le fonctionnement des volcans. Quoi de plus exaltant que ces images de laves colorées, pulsées hors du cratère comme des éjaculations divines et dévastant toute la campagne aux alentours. Dans ce livre sublime dévoilant la bête en train de s'exprimer, il avait lu que le volcan Laki avait explosé en Islande, au cours de l'été 1783, provoquant une éruption de cendres blanches, résultat de la rencontre entre deux plaques tectoniques – un combat titanesque. Deux continents sous-jacents qui se broient mutuellement en éjectant dans le ciel des montagnes de rochers et une colonne gigantesque de poussières ! La collision avait provoqué l'éruption de plus de 100 cratères dans la chaîne volcanique islandaise. Un nuage de poussière avait envahi l'atmosphère, plongeant le continent européen dans la pénombre. L'hiver qui avait suivi avait été effroyable : on avait connu des températures jamais atteintes auparavant. Les gens et le bétail mouraient de froid. Pendant les années qui avaient suivi, l'obscurité persistante, quoiqu'affaiblie, hypothéquait les récoltes. Les animaux survivants, sous-alimentés, avaient été décimés. Une immense famine ravagea tout le continent, des révoltes fomentaient dans les coins reculés, des bandes de pillards affamés dépouillaient les campagnes, à la recherche de subsistance. Les dirigeants en place ne disposaient plus des moyens suffisants pour entretenir une armée en ordre ni de réserves nécessaires pour soigner des chevaux ni du matériel de guerre ; la sécurité s'était effilochée. La précarité régnait ; les aristocrates se réfugiaient dans leurs demeures ou châteaux, bien protégés de la population locale qui les assaillait en réclamant du pain. On était en 1789, la Révolution française éclatait. Les historiens trouvaient une jolie façon d'inventer une épopée originale et flatteuse en improvisant que les citoyens, libérés par les idées du Siècle des Lumières, étaient mûrs pour prendre leur destin en main. Vaste plaisanterie. Rien ne changea, ou plutôt si, on assistait à un renversement de pouvoir. Les aristocrates furent remplacés par des bourgeois enrichis par la nouvelle industrie, les paysans retournèrent à leurs champs et les ouvriers à leurs pénibles conditions de travail.

Déformer les événements par une vision tronquée, conforme à la pensée dominante lui semblait le travers habituel des historiens : négliger l'impact de la nature sur notre comportement en soustrayant ainsi le paramètre le plus déterminant de l'évolution des espèces à court ou à long terme. Le coup de gueule islandais avait suffi pour mettre la nature humaine à genoux, quelques têtes de roi offertes en sacrifice n'avaient pas calmé les dieux. Et si, maintenant, deux ou trois volcans avaient une poussée d'acné au même moment ? Au fond, notre existence ne tenait qu'à un fil, elle dépendait intimement de l'humeur ténébreuse de la terre, que ce soient les tremblements, les démangeaisons, les contractions. Nous n'étions que minuscules fétus de paille flottants sur un fleuve en crue avec l'illusion que le répit était éternel. Non, il fallait absolument se dégager de la menace de la nature ; elle était notre ennemie. Il voyait dans la science l'unique salut à la survie de l'enviable pensée humaine ; il était urgent de doter le corps humain d'outils qui l'adapteraient à toutes les modifications que la planète engendrerait par son évolution inexorable. Sans aucun doute, il y aurait encore des tremblements de terre, des raz-de-marée, des glaciations, et ceci n'était rien à côté des variations inéluctables de la température, de la pression ou d'autres paramètres tels que la vitesse de rotation du bel astre bleu. Construire l'homme bionique, utiliser des mutants, les munir de greffes, de mémoires plus performantes, d'organes neufs, c'était pour lui d'une nécessité absolue. Une course folle devait s'engager pour quitter cet environnement hostile et aller à la recherche de lieux plus hospitaliers ; la conquête de l'espace serait une nécessité, d'abord pour larguer cette planète lunatique et ensuite gagner d'autres conditions plus stables à l'épanouissement de l'esprit. N'évoquait-il pas la notion d'un Paradis créé par l'homme à sa propre image !

7

Il avait négligé le fait que la première étape à franchir pour s'ennuyer serait prétexte à délirer ; ouvrir une boîte de Pandore qui libérerait toutes les passions. Cela faisait plusieurs jours qu'il s'obstinait à s'accorder une trêve et à concevoir une suite logique à ses idées guerrières, morbides, belliqueuses, cyniques et meurtrières. Les siestes le dérangeaient, manger l'horripilait, arroser ses légumes le distrayait à peine, il ne pouvait que rester sur son banc à fulminer. Il s'était encombré d'une curieuse retraite : vivre en Sicile pour vomir tout le fiel qu'il avait accumulé contre la nature ou l'humanité.

Et pas de digue envisageable pour contenir les excès de ce cerveau en crue. Une solution ne serait – elle pas d'accélérer la maturation de tous ces abcès afin de les percer comme des furoncles !

Il avait le souvenir de la souffrance d'un ami qui ne parvenait pas à faire le deuil de la dulcinée qui l'avait abandonné. La chanson « j'entendrai siffler le train », du chanteur à la mode de l'époque, évoquait irrémédiablement la première danse qui avait marqué le début de leur relation, mais plongeait l'amoureux éperdu dans une profonde mélancolie qui se manifestait par de pathétiques torrents de larmes. Il avait suggéré à son ami de guérir le mal par le mal, si bien qu'un matin, au lieu de se rendre au travail, son ami avait préféré se rendre à la buvette de la gare, où trônait un juke-box rutilant, avait rempli l'appareil de jetons et pressé le bouton des dizaines de fois, en face du titre du disque trop aimé, puis s'était installé à une table après avoir commandé une bière. Comme il s'y attendait, dès les premières mesures, les souvenirs de la tendre aimée l'envahirent. Après le premier passage du 45 tours et une nouvelle bière, les premières larmes jaillirent sous les paupières. À la fin du troisième morceau, il sanglotait, couché sur la table, serrant compulsivement son verre vide. La tête calée dans son avant-bras, il beuglait son chagrin. Les clients, exaspérés par la ritournelle, désertèrent le café. Il pleura toute la matinée en présence du patron furibard qui digérait mal son manque à gagner. En début de soirée, la machine dégoulinait toujours les accents du sifflet du train. La ritournelle tant aimée se mua en agacements douloureux, et devint un cocktail insupportable sous l'effet des boissons accumulées. Il quitta, soulagé, la buvette de la gare, tandis que le juke-box continuait à débiter la mélodie. Son aversion pour la chanson se troqua en exécration de la fille et cette expérience sapa ses derniers élans amoureux. Le patron du bistrot lui en tint rigueur et élimina le vinyle ravageur.

Il avait établi l'hypothèse qu'en ruminant sans cesse ses tourments, ceux-ci deviendraient sans consistance à un certain moment et que le temps les réduirait à néant. La mise à sac pourrait, alors, s'exécuter.

Il ne comprenait pas pourquoi l'écrémage de ses souvenirs ne sélectionnait que les circonstances douloureuses, comme si sa vie n'avait été pour lui qu'un supplice sur terre.

Il arpentait sa propriété entre les pêchers abandonnés. La sève printanière enflait les bourgeons turgescents, les arbres en fleurs pulsaient une atmosphère dense de parfum exquis, à tel point que les effluves le saoulaient telle une drogue puissante. Il vacillait, la tête bouffie, les sinus congestionnés. Il se rappelait, avec regrets, son petit verger aux variétés dotées d'un sentiment secret. Les exhalaisons sucrées du cerisier précoce, les fragrances grisantes du pommier, les délicats arômes du poirier, éveillaient des étreintes, suscitaient des baisers, le berçaient de caresses. C'était un album sensoriel de femmes que le souvenir olfactif rendait vivantes et plus réelles qu'une image. Il avait la sensation d'être enveloppé de substances femelles. Ici, dans ce vaste verger, il constatait que la situation avait permuté. Le parfum suggestif des pêchers n'évoquait aucune présence féminine. Pourtant, quoi de plus sensuel que ce fruit, dont la forme, à elle seule, suscite une vulve charnue dont le velours sied à merveille aux délicats pétales carnés. Des sexes, il était entouré de sexes, et il se désolait de ne pouvoir y associer des souvenirs d'amoureuses, alors qu'il y avait tant de réceptacles pour y accueillir leur mémoire. Il se sentait un peu désemparé, car il prenait conscience d'avoir éliminé, dans son processus, toute relation avec une femme. Ce ne serait que source de distraction, excusait-il. Il y avait bien Angélina, mais sa présence hebdomadaire perturbait déjà trop sa quiétude. Il n'avait guère évoqué sa féminité, trop occupé à la fuir puisqu'il considérait ses services comme une intrusion dans son intimité. Physiquement, il n'éprouvait aucune attirance pour Angélina ; question d'hormone, se disait-il. Mais que ce serait-il passé s'il avait été ému par son charme ?

Comment résister à la beauté ? La grâce l'effrayait, le faisait fuir, autant qu'elle le paralysait. Quels étaient les ingrédients de ce pouvoir ? Que de questions sur la femme ! Ce qu'il pouvait presque affirmer, c'est qu'il avait recherché toute sa vie des conquêtes qui étaient loin des canons officiels. Tout cela pour plusieurs raisons. Il avait toujours en mémoire une enquête pseudo psychologique, qu'il avait lue dans un journal people alors qu'il patientait dans la salle d'attente d'un cabinet de dentiste. Ce sondage prétendait disséquer le goût des Français en matière féminine. Un échantillonnage représentatif de la gent masculine répondait à une seule question : « Quelle est la femme idéale pour le Français ? » Suivaient quelques chiffres, pour appuyer le sérieux et la crédibilité de l'analyse statistique, comme le pourcentage d'erreur, des moyennes, la variance, l'écart type…

L'enquête livrait trois paramètres : la femme idéale était petite, bête et pauvre !

Le résultat s'il était surprenant ne le perturbait cependant pas.

Lui, en revanche, ne voyait pas d'inconvénients à fréquenter les femmes riches, grandes et intelligentes. Où était le problème ? Il n'y avait là, à son sens, que des avantages. Et puis, ce devait être les plus nombreuses sur le marché vu qu'elles étaient délaissées par les statistiques.

Étonnamment, l'enquête négligeait l'aspect physique. Alors que toutes les publicités utilisent le charme féminin pour conquérir les marchés, le Français moyen, dans la réalité de ses choix, en tient peu compte. Si le critère principal de sélection avait été la beauté, ce profil relativement rare aurait limité le nombre de partis. L'enquête justifiait que tout un chacun peut ainsi trouver partenaire. Mais sourdait en lui un autre argument : il admettait que la beauté pouvait être, pour de nombreuses femmes, un fardeau. Ce devait être lassant de subir le regard concupiscent des chasseurs masculins. En plus, pensait-il, elles développent, grâce à leur pouvoir attractif, un mode de reproduction relativement pauvre. Leur beauté, d'une redoutable efficacité, dans un premier temps, limite paradoxalement leur imagination pour déployer de nouvelles variantes aux relations sexuelles. L'aridité de leurs caresses et l'absence de subtilité dans leurs jeux pour accompagner l'amour les rendent particulièrement lassantes à partir d'un certain moment, ce qui laisse présager des ennuis de couples à l'arrière-plan. On peut imaginer que des filles moins flattées par la nature, mais plus futées, se doutent, à un moment que leurs maigres attraits n'attirent pas le compagnon indispensable à la procréation de l'espèce. Dès cette prise de conscience, elles peuvent s'investir dans d'autres pistes plus raffinées, et devenir des maîtresses redoutables qui laissent sur la touche leurs rivales déifiées et coulées dans le marbre.

Il y avait bien les gros lots : les perles rares, les femmes grandes, riches, intelligentes et belles, qui se révélaient être des bombes au lit. Les Rolls de la société, les pépites que l'on devait soigneusement cacher ou, alors, il fallait se montrer à la hauteur pour les aborder et les conserver. Ces trésors n'étaient pas à la portée de tout un chacun.

C'est comme cela qu'il justifiait, que son petit verger-souvenir ne comportait que des conquêtes peu dotées physiquement, mais douées pour des conversations éblouissantes et des ébats étourdissants.

À partir de là, quant à choisir dans un groupe de femmes celle que l'on trouvait la plus repoussante, il y avait une marge qu'il n'avait pu franchir, mais tout était une question de goût.

Dans ce gynécée de pêchers à l'apogée de son pouvoir d'attraction, dans un nuage d'étamines qui brouillaient la vue, bourdonnant sous la myriade d'abeilles qui se délectaient des foisons de nectars déversés abondamment, il entendit une clochette résonner au loin. Un tintement similaire au timbre de celle qui pendouillait au pilastre de l'entrée de la propriété et qui devait signaler l'arrivée de visiteurs. Jamais, jusqu'à présent, elle n'avait vibré, mais il n'y avait à la ronde aucune autre habitation ; dès lors, si une sonnerie retentissait, ce ne pouvait être que la sienne. Irrité, dérangé, et extrait douloureusement de ses rêveries, alors que, pour une fois, des souvenirs coquins lui titillaient l'esprit, il enjamba les hautes herbes et les ronces pour regagner l'entrée de la propriété.

Il distingua une silhouette dont la main pendue à la chaînette agitait frénétiquement la cloche. Y avait-il urgence ? En s'avançant, il remarqua un vélo appuyé contre le pilastre. Et tout près il découvrit une femme avenante qui l'invitait à s'approcher. Elle parlait, dans un roulement continu, derrière la grille entrouverte. Elle semblait lui demander quelque chose, mais il lui signifia par un geste désespéré qu'il ne comprenait pas. Le visage de la femme s'illumina et elle prononça : « professoressa » en articulant.

« Professeur » s'irradia-t-il, mon appel serait-il exaucé ? Sa requête d'apprendre l'italien avait fait le tour des collines et une pédagogue se dérangeait pour lui enseigner l'italien. La rumeur avait mis plus d'un an avant d'aboutir. L'essentiel était qu'elle soit disponible. Il fit des gestes pour exprimer sa satisfaction et il lui proposa d'entrer, mais elle refusa et tout aussi vite enchaîna :

« Domani, nove ora ! Si ?[3] », en accompagnant les mots de signes de doigts significatifs.

Il saisit qu'elle lui donnerait sa première leçon demain à neuf heures du matin.

Ce n'est pas lui qui imposerait ses lois dans ce pays vigoureux, mais une logique qui lui devenait de plus en plus inconnue. Il faisait des grands « si », « si » de la tête. Elle

---

[3] Demain à neuf heures ! Oui ?

enfourcha son vélo et disparut sur la route poussiéreuse. Les affaires roulaient. En voilà une excellente journée ! Ses pensées viraient au vert, il l'avait constaté avec satisfaction dans le verger. La féminité réapparaissait dans ses rêves – c'était signe de bonne santé – et creusait le sillon qui le séparait de tous les tourments que l'hiver avait accumulés.

Totalement surpris par cette irruption dans sa vie, une de plus, il remarqua qu'il n'avait pas eu le temps de dévisager l'inconnue, ni de lui demander son nom, ni de s'informer des conditions de son travail. Il se sentait, une fois encore, tout à la merci des événements et complètement assujetti à leur déroulement. Il se doutait bien que le professeur reviendrait le lendemain, il imaginait qu'elle avait parcouru une longue distance à vélo, dans les collines, pour le rencontrer. Il faut croire que le message qu'il avait lancé comme une bouteille à la mer avait atteint cet énigmatique professoressa. Qui avait servi de relais ? Voilà encore un mystère de la Sicile : il découvrait des chemins de traverse qui se croisaient sous ses pieds ; celui de la Maffia n'était, à coup sûr, pas celui de la professoressa, il disposait donc sur place de plus d'estime qu'il ne le pensait après le coup de la rançon mensuelle. Cela lui mettait du baume au cœur. Enfin, il ne se sentait plus seul ! Cette réflexion rebondit dans son cerveau comme une balle magique pour laquelle chaque obstacle modifie et amplifie la trajectoire.

Il avait décidé de venir ici pour être seul, mais toute réflexion faite, il apparaissait qu'il y avait dans son stratagème une partie de son être qui doutait de son bien-fondé. Il devait conclure que cette expérience de la réclusion avait été plutôt vécue dans l'adversité et avait tendance à développer ses rancœurs. Est-ce que les conditions monacales qu'il s'était imposées influençaient sa solitude et pouvaient en faire un processus rebutant ? Ce n'est pas parce qu'un jupon pointait à l'horizon que sa quête d'isolement volontaire serait complètement chamboulée. Il devait reconnaître que l'absence de relation sociale le troublait à certains moments. Et si une femme maffieuse, délicieusement perverse lui avait réclamé une rente en lieu et place de ce vieux forban de chasseur, aurait-il eu la même réaction ? Il décelait dans son raisonnement que la présence féminine lui manquait et que cette professoressa tombait au bon moment. Il faudrait qu'il réfléchisse à la manière de poursuivre sa quête sur l'ennui et la solitude et évaluer la portée des paramètres. Peut-être aussi qu'une trêve était la bienvenue, qu'il la sollicitait sans oser la formuler. La soirée fut arrosée de coupes de Marsala qu'il dégustait à petites lampées, à la lueur blafarde de la lune, abandonné au confort du banc pour profiter des derniers relents de fraîcheur de l'hiver qui avait tourné le dos.

Qui était cette professoressa, d'où venait-elle, quelles étaient ses qualifications ? Il avait un vague souvenir d'une silhouette plutôt mince, au visage allongé, un bandeau de tissu coloré maintenant une masse de cheveux sombres légèrement bouclés. Il avait retenu les gestes de la main, des mains mobiles qui accompagnaient le ton de la voix. Et surtout le débit de ses paroles : un torrent impétueux. C'était bien une Sicilienne, vive, extravertie, impatiente. Son besoin impérieux de tout théoriser la campait cultivée. C'est sur le souvenir de diatribes féroces qu'il s'endormit sur place, dans la nuit tiède et tard dans la pénombre, une angoisse le délivra pour lui remémorer qu'il lui fallait ajuster l'heure de son réveil ; il y avait longtemps qu'il ne sortait du lit que lorsque le processus naturel de sommeil avait accompli son cycle. Il avait la sensation de retourner au travail, avec ses horaires et ses contraintes. Le reste de la nuit ne fut qu'angoisses, car maintenant il craignait que la venue de ce professoressa ne perturbe sa tranquillité. Il redoutait même l'odeur de cette inconnue. Pourquoi les saveurs humaines le tenaillaient-elles ici, comme si les effluves corporels d'une étrangère signifiaient pour lui un viol de son intimité ?

Ce problème ne s'était pas présenté avec Angélina, puisque, dès qu'elle arrivait, il s'esquivait pour ne pas être dans ses pieds lorsqu'elle astiquait son foyer. Il ne réapparaissait que sur le temps de midi, quand il estimait le travail terminé ; il lui donnait l'enveloppe contenant son pécule et elle disparaissait pendant que lui retrouvait son espace avec soulagement. Il avait dû constater qu'il aérait abondamment dès qu'elle avait franchi le seuil, craignant déceler la moindre parcelle de son profil génétique.

Cette obsession des effluves humains dissimulait une théorie qu'il affectionnait.

« Une de plus », grommelait-il.

Il soupçonnait que l'odorat n'avait pas perdu ses facultés comme beaucoup le prétendaient ; au contraire, le nez décelait très rapidement le caractère d'une personne et donnait, d'une façon inconsciente, des renseignements très précieux sur son profil. Si le ressenti était agréable, elle devenait sympathique. S'il était nauséabond, la plus grande méfiance était de mise. Curieusement, l'hygiène contemporaine traquait les qualités les plus perceptibles de ce sens au moyen d'une armada de déodorants et de désinfectants. Le nez et son réseau de papilles olfactives avaient, pour lui, la faculté de déceler dans l'air des quantités infinitésimales de substances chimiques responsables de nos humeurs et de notre caractère. Il en avait déduit que l'odeur humaine était le ciment d'une relation durable. Elle disputait même la palme du meilleur analyseur de l'essence d'autrui aux plus fervents défenseurs de l'acuité du regard. Lui s'y opposait avec vigueur : n'y avait-il rien de plus menteur que la vue, s'emportait-il ! Bien qu'artiste, il se méfiait au plus haut point de l'œil à qui sa vie de créateur était pourtant entièrement dévolue.

Il avait même imaginé un jeu cruel qui consistait à demander quel était, dans les cinq sens que nous possédons, celui que nous abandonnerions si le sort ou une fée maligne nous en intimait l'ordre.

Il ne se voyait pas se priver du plaisir que lui procuraient ses papilles gustatives, de s'abreuver à la fontaine de la truculence d'où la joie et la vigueur s'écoulaient. Une alimentation fade et insipide équivalait à nous réduire à l'état d'animal, à manger pour se nourrir, à être condamné à une vie sans issue comme de tristes animaux d'élevage dans un bagne grisâtre. Et puis il se remémorait la saveur des fruits bien mûrs, de vulves qu'il adorait. Oblitérer le goût, et certainement pas celui-là !

L'odorat, il venait de l'argumenter ; mais il devait ajouter que celui-ci, comme une sentinelle, mettait l'hostilité en évidence ; il ne pouvait se permettre de l'éliminer, c'était une question de survie. S'affranchir de l'odorat, c'était se comporter comme celui qui dévisse l'ampoule rouge du signal d'alerte.

À première vue, l'ouïe lui paraissait plus problématique à soustraire. Il avait constaté que, chez les personnes âgées, ce handicap les disposait, à plus ou moins courte échéance, à l'isolement, au confinement ; il en avait déduit que c'était l'outil de la relation. Bien qu'il ne soit pas convaincu de la capacité de l'humain à communiquer, il trouvait essentiel de pouvoir entendre l'autre. Il gardait en tête l'interview brillante que le directeur de son entreprise avait accordée à une journaliste.

« Quelle est votre plus grande qualité ? », demandait-elle.

« Écouter mes collaborateurs »

« Et quel est votre plus grand défaut ? »

« Ne pas les écouter assez ! »

Le signal de l'autre était essentiel pour se situer dans le groupe humain ; et il en avait déduit qu'écouter était la panacée de la conversation. En fait, il n'accordait aucune foi aux dialogues, mais adhérait aux monologues attentifs et alternés. Combien irritant pouvait être une conversation où l'autre obsédé par son point de vue et, obnubilé par sa vérité, n'entendait plus. Un modérateur pour gérer le temps de parole de chaque interlocuteur devenait essentiel dans une société aussi complexe. L'ouïe, pas question de s'en priver.

Il restait un choix douloureux : un sens à écarter entre la vue ou le toucher.

Dans la perception, il y avait communication sans a priori de l'outrage du temps. Il avait le sentiment que le toucher atteignît l'aperception puisqu'un ressentit des doigts ou du corps, ne rendait compte en rien de l'âge, hormis la taille ou la masse de l'individu.

Il regrettait que la culture occidentale culpabilise autant le contact physique, comme elle se défendait, tout autant et parfois violemment, devant un regard appuyé. Mais qu'il aurait été enivrant que le rite d'une première rencontre soit consacré à la prospection de la peau de l'autre. Il imaginait, de ce fait, un nouveau langage basé sur l'appréciation de la carnation et de tout ce qu'elle peut sous-entendre. Il avait appris que, lors de la formation du fœtus, les cellules du cerveau et de la peau provenaient du même feuillet original, ce qui pouvait signifier que l'une était la partie visible de l'autre et que l'accès à l'intimité la plus ultime était relativement aisé. On pouvait concevoir que ce jardin secret ne se révélait pas à quiconque. Ce n'est pas pour rien que ce sens était entouré de tabous : cogner par inadvertance un étranger exigeait des excuses immédiates ; la gymnastique élaborée, pour éviter le moindre frôlement suspect des masses d'individus se déplaçant sur les trottoirs des villes, relevait de la plus grande virtuosité.

Ce tabou créait une lacune évidente, car le corps exigeait sa ration de contact sous peine de mort. Il avait fallu inventer les métiers de toucheurs pour combler le manque abyssal de ce sens honni et dilapidé. On avait recours à des séances de massage de toutes les formes. Il rugissait, rien que d'y penser ; c'était pour lui le métier le plus honteux qui soit, mais aussi le plus menteur. Honteux parce qu'il masquait et entretenait les dégâts qu'une morale pudibonde avait causés sur la population occidentale depuis des siècles en en soutirant bénéfices, mais sans envisager de réparation.

Pourquoi menteur ? Il l'avait découvert au cours d'un stage de massage où il s'était inscrit par curiosité et par envie de se faire une idée des bienfaits de cette activité à la mode. Il s'était retrouvé parmi une petite dizaine de couples pour apprendre les rudiments du massage sensitif ; la monitrice, tel un menu déroulant, avait expliqué, en mêlant théorie et pratique, les techniques de palpation, trituration, onction de chaque partie du corps, en attirant l'attention sur les endroits interdits : le sexe et les seins chez les femmes. Le massage des hommes prévoyait quelques particularités : des érections spontanées pouvaient apparaître ; il était de bon ton de les ignorer, mais elle relatait, rougissante, le drame qu'elle avait subi : un monsieur avait eu une éjaculation !! Avoir la capacité de donner autant de plaisir sans toucher ni effleurer le sexe relève de la performance, mais, dans ce cas de figure, cet événement était catégorisé comme injurieux et avait gravé dans sa figure un rictus mortifère qui apparaissait chaque fois qu'elle évoquait la tragédie. Donc, dans le massage, il y avait absolument intérêt à escamoter les régions prohibées et surtout les masculines. Il l'aurait étranglée : les zones évidentes de plaisir étaient précisément celles qu'il était tenu d'éviter ! Au contraire, la monitrice proférait qu'il fallait s'acharner sur des endroits sans intérêt comme les coudes, l'intérieur des genoux, les épaules. Les massages des doigts de pieds ou de mains et bien sûr ceux du visage n'étaient pas désagréables, mais il avait le sentiment de demander un dessert et qu'en lieu et place, on lui servait à nouveau du potage ! La morale judéo-chrétienne, entièrement orientée sur le non-plaisir, imbibait cette professionnelle du contact physique.

Se séparer du toucher ? Jamais, au grand jamais !

Il devait conclure que le sens de la vue lui semblait celui qui présentait le moins d'intérêt et qui accumulait le plus grand nombre d'inconvénients. Les qualités affectives ou professionnelles deviendraient les seuls critères pour choisir un compagnon ou une collaboratrice. Éliminer la vue, c'était donner à tout un chacun des chances plus égalitaires pour réussir dans la vie. Le racisme serait drastiquement balayé ; il en découlerait une société honnête et curieusement plus visible : devenir aveugle pour mieux voir ; son raisonnement elliptique déclencherait les rires et les sarcasmes.

Dans cet esprit, il avait vécu l'expérience rare de partager un repas avec une amie dans un restaurant tenu par des aveugles qui proposaient aux « biens-voyants » de découvrir leur univers. Il en gardait une sensation magique, celle d'un continent englouti. Les convives étaient invités à pénétrer dans une salle plongée dans l'obscurité totale, et c'est ainsi que, guidés par un authentique malvoyant, ils avaient gagné, en trébuchant, leur table. Déjà la disposition y était modifiée ; inutile de s'installer en vis-à-vis, il était plus commode de s'asseoir côte à côte pour partager la perception des mets. Cela ressemblait plus à une cérémonie qu'à un repas, tellement les rites lui étaient apparus différents. Pour simplifier la tâche de porter la nourriture à la bouche, pas de couverts, les doigts comme outils et une immense serviette autour du cou que les aveugles, bienveillants leur avaient enfilé. Dans le noir, leur tenue vestimentaire, si valorisante au grand jour, passait pour négligeable : peu importe que le col soit de travers ou la jupe trop, relevée. La voix du serveur demandait une telle attention dans cet univers qu'elle était devenue une porte de secours, la seule issue en cas de besoin, et les aveugles l'avaient bien saisi : l'ouïe était le canal le plus approprié pour aider les convives. La musique était pour ainsi dire proscrite, de façon à maintenir cette situation sécurisante. Quelle différence, à ce niveau, avec les bars où était entretenu un bruit de fond assourdissant nécessaire pour masquer le vide des conversations et éviter les « blancs » dans les discussions ! Il s'était découvert des oreilles géantes, toutes écoutilles ouvertes, pour écouter son amie, lui confier ses impressions de la situation. Il la savait jolie, mais, ici, sa beauté avait disparu ; rien que sa voix et surtout ce qu'elle disait importait. Lorsque le garçon apporta les mets servis dans des bols pour faciliter leur préhension, leur parfum requit toute son attention et, comme l'aspect des aliments était invisible, il n'était pas distrait par la présentation ; seul subsistait l'échelonnement des épices dans le fond de ses narines qui subitement se dilataient sous l'excitation. Et voilà un propos d'échanges neufs avec son amie, qui se révéla extrêmement prolixe sur le sujet ; elle avait le nez délicat et lui décrivait les plats avant de les avoir goûtés. Il découvrait là un régal de conversation. En fait, il se rendait compte du glissement d'intérêt, dans ce lieu où la vue avait été oblitérée. L'ambiance qui en résultait dirigeait toute son attention vers la nourriture, avec grande acuité. Jamais il n'avait imaginé parler d'autant de parfums avec une telle subtilité ; un nouveau glossaire naissait dans sa bouche. Remplir une cuillère de potage et l'amener à bon port, quand on est malvoyant, est un exercice qui mérite des applaudissements ; ici, si des restes de nourriture collaient aux joues, sur le nez ou sur la sympathique serviette, pas de nervosité avec le protocole et la politesse. Comme le menu avait été dévoilé par des serveurs à la voix chaude, il devenait passionnant de comparer ce qu'ils avaient suggéré avec les résultats que les papilles découvraient ; ce n'étaient qu'une foultitude d'étourdissements et de sujets d'émerveillement. Finalement, il n'aurait dû fréquenter ses amies que dans des lieux obscurs afin que leur physique ne perturbe pas leurs dialogues. Il avait pris, à un moment donné, la main de sa compagne pour la guider vers une serviette et s'étonnait, en touchant les petites articulations fines et animées, qu'un corps complet lui parlait. Il l'avait découverte sous un autre jour. C'était une autre femme, une femme éternelle. Elle serait jeune immuablement. Oui, il était pour la suppression de la vue.

Comment allait-il vivre la première leçon avec cette professoressa qui tombait du ciel ?

La nuit fut courte, avec des plongées brutales dans des sommeils abyssaux d'où il émergeait hagard, sans pouvoir se détacher des rêves qui le pourchassaient : des réminiscences floues de guerres contre une armée invisible. Il était à nouveau à la tête d'un peloton qu'il guidait dans les ténèbres au travers des lignes ennemies ; des déflagrations se reflétaient sur un horizon boueux des éclairs silencieux. Il courait ou rampait d'un refuge à l'autre, d'une maison démolie à l'abri d'un fossé.

Il appuya sur la sonnerie du réveil avant qu'il ne vibrât et préparât du café en abondance pour accompagner le cours. La cloche retentit à neuf heures précises et, quelques minutes plus tard, la femme rangeait son vélo contre le mur de la maison. Il l'accueillit sur le seuil de la cour et tout en gardant sa main dans la sienne, il prit le temps de l'examiner tandis qu'elle parlait. C'était une femme à qui il donnait une cinquantaine d'années, plus peut-être, moins en y regardant mieux. Le teint hâlé, un visage ovale dominé par un large front. Le long nez aquilin était mis en évidence par une architecture harmonieuse qui se jouait d'influences baroques. Une large bouche charnue retenait toute son attention. Une robe à fleurs identique à celle qu'elle portait le jour précédent recouvrait un corps mince. Un regard sombre emprunté aux Africains du Nord le détaillait à son tour, tandis qu'elle continuait à parler. Il se remémora ses pensées sur les parfums humains, mais il ne parvenait pas à identifier si la professoressa émettait une odeur particulière. Pendant que le café refroidissait, elle ne cessa de parler. Il comprit alors que sa méthode d'enseignement serait proche de celle que les mamans utilisent pour converser avec leur bébé : pas de grammaire ni de vocabulaire, rien que dire et répéter. À un certain moment, elle lui posa une question, et donna deux réponses : si, no. Elle ajoutait un nouvel élément : le « quiz ».

Cette façon légère et fluide d'enseigner lui convenait : c'est surtout elle qui faisait l'effort et lui devait, de temps à autre, dire oui ou non aux interrogations. S'il se trompait, elle expliquait en italien, du moins c'est ce qu'il supposait. Il comprit aussi que la première leçon était une proposition d'enseigner qu'elle lui suggérait comme modèle. Onze heures se dessinaient sur le petit réveil et elle prit congé de lui. Elle n'avait pas arrêté de parler, presque sans respirer, comme un robinet que l'on ouvre à neuf heures et que l'on referme deux heures plus tard ; lui n'avait pour ainsi dire rien compris : il n'avait même pas saisi s'il y avait un thème à ce long monologue ; il avait écouté, très concentré, en regardant ce visage expressif dont les traits et les mains accompagnaient le discours. Lorsqu'elle aborda le prix du cours – dix euros de l'heure –, il admit que ce n'était pas exagéré dans ce pays aussi pauvre, et puis par rapport au maffieux qui exigeait cent euros pour ne rien faire, c'était bon marché. Elle avait disparu et il ruminait à nouveau ses vieux démons. Mais il se sentait épuisé par la visite de la professoressa. Il avait le sentiment d'avoir parlé beaucoup, alors qu'il avait conscience de n'avoir rien dit.

Les jours suivants se déclinèrent selon le même processus : très ponctuelle, elle l'abordait directement en italien dès qu'elle avait rangé le vélo. Assis l'un en face de l'autre, au frais dans la maison bien isolée, ils dégustaient ensemble le café refroidi.

Après une semaine, il dut constater qu'il n'avait pas appris grand-chose : quelques mots d'usage qui s'appuyaient essentiellement sur l'environnement dans lequel la leçon se donnait : « table, chaise, tasse, un, deux, trois ». C'était maigre, mais l'expérience lui convenait assez et il était curieux de voir comment les résultats s'engrangeraient. Il savait que les bébés assimilaient une langue en une année à force de répéter, et qu'il leur fallait encore une année pour maîtriser un vocabulaire suffisant ; rien ne pressait ici en Sicile. Et puis la femme était de contact agréable, il devait le reconnaître. Physiquement, elle n'était pas faite pour lui déplaire : il lui trouvait une certaine élégance dans la façon d'évoluer dans l'espace et une chorégraphie subtile se dégageait des mouvements de ses mains lorsqu'elle appuyait une expression. À l'intérieur, elle retirait son foulard et libérait la masse de cheveux noirs. Elle portait des vêtements amples qui estompaient des courbes hypothétiques. Le choix des coloris indiquait un goût certain pour la couleur ; il y avait, même là, une évidente audace qu'une artiste aurait pu revendiquer. Mais il constata aussi qu'il ne savait rien d'elle ; il ignorait de quel village elle provenait. Il avalisait paresseusement, en éludant les questions : de toute façon, comment aurait-il pu, avec les faibles outils dont il disposait ?

Le flot ininterrompu de paroles lui demandait une telle attention que parfois, distrait, il songeait la quitter quelques instants pour regagner son banc et s'y reposer, mais pas question de s'allonger lors de la leçon, il voulait rester digne.

Les après-midis furent l'occasion de se focaliser sur l'alanguissement ; son temps disponible rétrécissait et il lui fallait absolument développer une plus grande énergie pour se concentrer sur ses méditations. Mais ce vide éblouissant, dont il rêvait, se dérobait sans cesse et il se demandait même si le concept de l'ennui n'était pas un mirage ; cela semblait assez facile de le percevoir le temps d'un instant, fugace comme un frisson. Le fait de le ressentir enclenchait un flot d'idées qui s'empressait de combler le mince espace ; la nature ayant horreur du vide, il se dit qu'il devait s'atteler à la tâche de déblayer son cerveau pour y créer un volume de néant. D'autre part, il devait constater que cette professoressa, tout en le distrayant, l'obligeait à améliorer sa capacité à concentrer son ennui, alors que, jusqu'à présent, il avait l'impression de se diluer et de se perdre dans un univers sans repères ; il en conclut qu'une vie monastique devait être un équilibre efficace entre travaux manuels et contemplation. Il redoubla de soins dans son potager si bien que tomates, aubergines, courgettes et autres envahirent tout l'espace.

Angélina ne fit guère d'allusions lors de l'arrivée de la nouvelle venue ; elles se saluèrent à distance, échangèrent quelques mots et chacune se concentra sur ses occupations. Il imaginait qu'elles devaient se comprendre dans cette indifférence mutuelle. Emilio ne la remarqua que bien plus tard quand il découvrit que le vélo gênait le rangement de la brouette. Le maffieux, à qui il avait interdit de pénétrer dans son habitation, ne put jamais soupçonner sa présence. Tout cela lui paraissait normal et gravé comme sur du papier à musique dans ce monde de non-communication qu'il avait instauré.

Il soupçonnait que la professoressa lui racontait des épisodes de sa vie, car, de temps à autre, il lui semblait que des émotions violentes, l'espace d'un éclair, modulaient son visage : joie et mélancolie l'habitaient conjointement. Parfois, elle se levait et découvrait la maison, faisait le tour de la pièce et commentait le mobilier ou la maigre décoration ; ses mains frôlaient les murs, caressaient des objets imaginaires. Il se rendit compte qu'à ces moments, elle ne parlait pas italien. Il y avait maintenant des mots qui étaient enfoncés dans son crâne et qui servaient de repères qui s'ajustaient mal avec d'autres pour signifier le même objet. Cela l'intrigua, et il fut de plus en plus attentif pour savoir de quoi elle parlait. Après plusieurs semaines, il en était arrivé à la conclusion qu'elle lui racontait des choses personnelles en sicilien et que la leçon proprement dite se faisait en Italien. C'est vrai qu'il n'aurait pas pu rester concentré deux heures pour saisir la conversation et que la technique d'immersion pratiquée ici demandait une énergie qu'il ne possédait plus ; mais elle s'en accommodait bien et il avait parfois le sentiment qu'elle vidait chez lui son sac de questionnements et de faits intimes. Dans le contrat tacite qu'ils avaient conclu, la professoressa semblait prendre sur elle la majorité de l'effort pour s'acquitter de sa tâche, elle se déplaçait, discourait, tandis que lui, passif, s'accommodait aussi bien de sa présence que de l'enseignement dispensé. Il s'imaginait la bouche grande ouverte comme les becs des oisillons dans leurs nids douillets ; mais lui ne piaillait pas lorsque la mère était absente. Il attendait sa venue, et, le jour où elle lui annonça qu'elle lui ferait défaut quelques jours, il ressentit une ombre sombre et déplaisante l'envahir ; il accueillit la nouvelle avec un étonnement. La déception subséquente qu'il identifia le rendit perplexe.

La venue de la professoressa était devenue routinière et il ne voyait pas pourquoi changer une bonne habitude, bien qu'il soupçonnât que les leçons prendraient fin lorsqu'il maîtriserait assez la langue. Il devait donc réaliser que ceci ne représentait qu'un intermède dans sa vie. C'était une bonne prise de conscience, selon lui : plutôt que de subir une déception, il valait mieux aller à sa rencontre. Il distrayait sa morosité en errant dans la campagne et surtout en scrutant le bas de la falaise. Ne serait-ce pas le bon moment pour faire l'exercice périlleux, pour trouver un passage dans les rochers, pour essayer d'atteindre la plage et voir enfin à quoi ressemblait cet endroit désert. Peut-être aussi découvrait-il, de la mer ou d'un autre point de vue, l'entrée de la grotte secrète qui gisait là, sous ses pieds. Mais il ne voulait compenser la solitude engendrée par l'absence de la professoressa par une activité débordante.

Il n'en fit rien comme de coutume, et s'en remit à sa paresse naturelle. Quoi de plus agréable ? Profiter de ce répit pour s'adonner à des siestes majestueuses, des rêveries divines qui dissolvaient le temps. Maintenant, il évaluait le couple curieux qui se dessinait dans son mental, une balance sensible entre le grand bonheur de vivre cet espace de liberté et le plaisir qu'il sentait naître en lui de fréquenter une personne par intervalles réguliers : cette professoressa dont il ignorait le nom, le prénom (Il n'y allait, faussement poli, que par des « signora », ou des « professoressa »).

Au travers de petites conversations qu'ils commençaient à entreprendre, il saisit la vivacité de son intelligence. Elle le corrigeait, peinait à lui imposer l'accent tonique sur les voyelles, et à peaufiner les déclinaisons. Apprendre l'italien phonétiquement lui semblait plus facile, il ne répétait que des sons qui s'avéraient être des mots ou des phrases, loin de lui d'imaginer la transition à l'écriture. Elle avait donc de la patience, il lui en fallait pour dégrossir ce paquet de neurones ankylosés et le faire progresser ! Elle le traitait avec respect et avec une pointe d'amabilité courtoise qui n'était pas pour lui déplaire. Il devait se reconnaître qu'il appréciait cette présence, tantôt vive, tantôt agitée ainsi que les grandes dissertations mélodieuses, accompagnées de silences mélancoliques. Femme complexe ou femme compliquée ? Il était trop tôt pour y répondre. À la lueur de ses moues, aux petits traits de plaisanterie qu'il lui jetait de temps à autre pour la tester, il devinait qu'elle ne dédaignait pas sa compagnie. Cette découverte fut suivie d'une autre : l'élasticité de la durée des leçons variait ; il arrivait souvent qu'elle le quitte vers le temps de midi, lorsque le soleil incandescent asservissait les ombres.

Elle revint, joyeuse, comme si elle avait assisté à un événement heureux ou, comme il se l'imaginait, parce qu'elle éprouvait du plaisir à reprendre le fil de leurs conversations. Les leçons s'étaient orientées progressivement vers des ébauches d'échanges qui semblaient des ouvertures intéressantes vers sa connaissance de la Sicile, mais, en retour, elle paraissait trouver en lui des éléments rassurants à ses questionnements existentiels et spirituels. La conversation, dès sa rentrée, fut dense et animée.

Ils ne virent pas le temps passer et, lorsqu'il prit l'initiative de dresser une table pour partager un repas, elle n'y fit pas d'objection. Il semblait que quelque chose avait changé dans son attitude, comme si son absence avait eu pour but d'éliminer les obstacles qui les séparaient et qu'un zeste de fluidité avait lissé les aspérités. Ou alors, il l'avait apprivoisée et qu'elle acceptait ce lien. Il servit les plats que la femme de ménage lui avait réservés, il se hâta de les accommoder de légumes du potager qu'il lui proposa de cueillir ensemble, ils dévalèrent le talus. Elle s'émerveilla devant la récolte et l'alignement rigoureux des plantations, mais c'est le paysage et la vue sur la mer qui retint son admiration ; elle ne cessait de faire le tour d'horizon et de scruter les moindres détails. Son attention soutenue le faisait sourire. Elle semblait découvrir un plaisir neuf ou renouer avec de vieilles réminiscences. En son for intérieur, il se flattait de lui offrir ce moment.

Il la regardait, immobile, concentrée. Sa silhouette mince se découpait en contre-jour sur le paysage. Elle avait de menues épaules, une taille fine mettait en évidence des hanches puissantes. Elle correspondait physiquement à la femme qu'il avait toujours théoriquement inventée, celle qui possédait la plus grande féminité, un torse délié, un peu androgyne, planté comme une boîte d'allumettes dans une betterave (l'allusion grasse ne faisait même pas rire ses amis). Il ressentait cette pulsion dans les croquis des grottes ornées sous la forme d'une vulve réduite à un signal, surmontée de seins à peine esquissés, pas de membres superflus, une efficacité redoutable pour suggérer le pouvoir de reproduction.

Cette femme virtuelle se multipliait dans sa pensée en différentes sous-espèces, un peu comme les facteurs rhésus. Le paramètre qui identifiait et qualifiait ces classes était la tournure des fesses. Il avait découvert dans un recueil homérique qu'il y avait trois types de femmes en fonction de la forme de leurs croupes ; le contour de celles-ci était estimé avec précision. Il suffisait de tracer une première ligne imaginaire, plane, sur la partie haute des fesses, lorsque la masse charnue commence à se détacher de la taille. Il était aisé de repérer le trait inférieur horizontal là, où le popotin faisait un pli net avec la cuisse naissante. Deux traits verticaux terminaient ce travail d'arpenteur. Une, perpendiculaire, s'appuyait au bord extérieur de la hanche. Il suffisait de suivre la raie naturelle du fessier pour constituer les quatre traits, qui assemblés, formaient un parallélépipède. D'après les morphologies, on obtenait un carré lorsque les quatre côtés étaient plus ou moins identiques et la fesse à l'intérieur était dite ronde, c'était le cas le plus courant, il pouvait être attribué aux femmes dont la graisse s'accumulait sur le postérieur. Mais la nature réservait des surprises, car certaines conclusions de ces calculs d'architectes suggéraient que si la longueur des traits verticaux était supérieure à la longueur des traits horizontaux, il en résultait une forme parallélépipédique verticale : on avait affaire à des fesses oblongues, le cas était exceptionnel, et recherché, car il correspondait à ce que l'on attendait des filles du Crazy Horse, des lobes charnus émouvants qui ébranlaient et anesthésiaient le QI des consommateurs. Elles exigeaient de leurs propriétaires une gymnastique régulière pour conjurer le dépôt disgracieux de graisse à cet endroit et une fermeté musculaire pour éviter l'effet prohibé de la gélatine.

Enfin, l'arrière-train le plus rare était celui dont la base du parallélogramme était supérieure à sa hauteur, on avait affaire ici à une fesse rectangulaire horizontale exceptionnelle, réservée aux femmes très minces.

Il réalisait, l'œil malicieux, que la professoressa appartenait à cette catégorie. Il jubilait discrètement, en observateur expérimenté et attentif, du paysage potelé du professeur, un peu gêné de l'analyser, la soupeser ainsi que l'aurait fait une diamantaire devant un cristal, mais ici il n'y avait que son instinct de mâle qui s'exprimait, pimenté par son amour de l'anatomie qu'avaient débusquée par le regard et le crayon, des années de pratiques du dessin de modèles à l'académie ?

Il s'approcha d'elle, elle ne broncha pas, tout absorbée par sa contemplation de la vue sur la mer ; il dévisageait sa nuque, un fin duvet foncé poursuivant la toison de la chevelure couvrait une peau délicate, hâlée, piquée d'une fioriture de pores serrés qui dessinait des arabesques abstraites. Les petits os des vertèbres cervicales sculptaient une saillie émouvante. La structure d'un corps le ravissait, il adorait deviner, sous la surface protectrice de la peau, la présence des organes qu'elle maintenait. Il était particulièrement ému lorsque le squelette manifestait sa réalité en tendant les formes. La peau s'étirait sous la pression de la masse dure, en s'étiolant. La chair attendrie par une graisse persillée produisait d'autres effets, le dessin l'exprimait sous la forme de traits aux ressentis confortables.

La professoressa, ignorant les élucubrations enjouées de son élève, accordait maintenant à la cabane une attention des plus scrupuleuses, en fit le tour posant des questions qu'il feignit ne pas comprendre. Elle l'interrogea sur l'époque estimée de ce monument curieux. La visite brève de l'intérieur requerra chez elle un intérêt intense ; malgré l'encombrement des outils, l'exiguïté des lieux et l'épaisseur des débris au sol elle fit minutieusement le tour en palpant les murs comme pour y déceler les traces d'une autre mémoire. Ce vestige curieux semblait l'avoir profondément bouleversée et émue.

Le repas qui suivit dégagea une autoroute de voies convergentes à leur découverte mutuelle. Elle s'appelait Roberta, était originaire d'un village de la région, habitait un appartement dans un bourg à vocation touristique, près de la mer. Elle avait enseigné l'histoire dans un collège catholique de Palerme. Elle avait divorcé d'un mari trop préoccupé par ses affaires – il en avait déduit qu'il œuvrait dans l'immobilier – maintenant elle vivait seule, travaillait comme secrétaire indépendante, mais comme les conditions de travail étaient particulièrement rudes et aléatoires en Sicile, elle n'avait pas hésité à postuler ce boulot de pédagogue privée que lui avait suggéré une connaissance qui avait eu vent de la demande de l'étranger.

Elle ne comprenait en rien pour quoi il avait abandonné un train de vie qui lui semblait tellement confortable pour s'enterrer ici, en Sicile, terre que tous les Siciliens voulaient quitter au plus vite pour gagner des rivages plus prometteurs.

Il découvrait avec ravissement une personne intéressante à plus d'un égard, cultivée, vive, extravertie, une interface idéale pour lui faire saisir les raffinements de la vie en Sicile et son histoire. Elle lui promit, en retour, des excursions dans les lieux légendaires incontournables et peu fréquentés.

À partir de ce jour-là, tout fut différent, le tutoiement fut de mise, et les conversations furent de plus en passionnantes ; elle lui racontait par le menu détail l'évolution compliquée et mouvementée de l'île.

Il saisissait mieux son intérêt pour la cabane en pierres, son origine, sa situation, le style de construction. Elle le mitraillait de questions sur la vie en Europe septentrionale, sur l'histoire

122

des villes opulentes et industrieuses. Ils prirent l'habitude de partager le repas de midi, les matinées étaient devenues trop courtes pour aborder tout ce qu'ils avaient à échanger, les prolongations furent évidentes. Le soleil n'incitant pas à l'activité, ils s'adonnèrent à des siestes que seule la Sicile pouvait revendiquer. Profiter de la Dolce Vita avec une Sicilienne, n'était-ce pas la meilleure façon de vivre « the way of living » de la Sicile. Il faut dire que cela faisait maintenant plusieurs mois qu'il suivait ce cours d'italien privé et que son vocabulaire s'était bien enrichi. Il pouvait soutenir une conversation, et même envisager des discussions plus philosophiques, terrain sur lequel elle embarquait avec gourmandise.

Décidément, Roberta ne lui réservait que des surprises ! Il appréhendait le moment de faire le bilan de sa quête d'ennui. Il devait reconnaître qu'il n'avait fait que reculer et repousser la langueur en recherchant d'autres valeurs que les rêves et les expériences du passé avaient nourries. Avait-il besoin de souffrir pour atteindre la sérénité ? Dans ce rythme lent, broyé par la chaleur intense du soleil de septembre, il n'y avait pas beaucoup d'échappatoires en Sicile, s'activer relevait du suicide, ne rien faire était la voie de la sagesse, et ne rien faire à deux, une avenue pour un impérial état de grâce.

Curieusement, elle n'avait fait aucune allusion à la modification de la durée des leçons ni à une adaptation des prix, à leurs nouveaux horaires. Les questions matérielles se dérobaient, tant les envolées lyriques foisonnaient ; maintenant, ils avaient ajouté à leurs sujets les rapports, de l'île, avec la maffia et il en apprenait de toutes les couleurs. Après tout, l'histoire de la Sicile, c'était celle de la Cosa Nostra.

La fin septembre était caractérisée par l'arrivée de zones de pluies.

Un orage inattendu et d'une violence rare, comme tout ce qui se passe dans cette île, les surprit, une après-midi. Ils regardaient, émerveillés, les éclairs qui percutaient les collines et ils frémissaient sous les salves du tonnerre qui grondaient en suivant les vallées. Un déferlement démentiel de bourrasques déchaînées, de rafales furieuses s'abattait sur la campagne sous un ciel charbonneux. Des torrents impétueux dévalaient du chemin, charriaient des eaux boueuses et interdisaient toute circulation au-dehors. Il lui proposa de loger sur place. En fait, il n'y avait pas d'autre alternative sur une terre devenue aussi inhospitalière. Elle accepta, reconnaissante. La soirée fut bousculée par des coupures d'électricité et par les coups de bélier d'une nature déchaînée qui faisaient vibrer le sol.

Elle accepta le canapé en guise de lit. Et lui se retrouva dans le sien les yeux grands ouverts sur le monde. Depuis belle lurette, il n'avait plus partagé un si long moment avec une femme, ce qui le plongeait dans des réflexions fécondes. Le sommeil le surprit tard dans la nuit, les éclairs de bombardements de son rêve poursuivaient ceux de la soirée. L'horizon était un brasier sous le déluge de feu. Avec sa petite troupe, ils erraient dans une campagne abandonnée, dans des champs moissonnés ; les chaumes croquaient sous les pas. Il apercevait, sur une route lointaine, quelques autos-mitrailleuses qui roulaient au ralenti. Il y avait un curieux contraste entre la violence de la ville en feu, ce silence paralysant, l'absence de lumière et l'indifférence apathique des militaires.

Il découvrit Roberta, tôt le lendemain, debout sur la terrasse, tout en contemplation devant le paysage lavé par l'orage. Elle lui tournait le dos, savourant la fraîcheur providentielle du sol détrempé et le profond parfum que l'humus exhalait. Apparemment, elle n'avait pas pressenti sa présence et lui profitait de ce moment magique, évitait de briser cet état de grâce, pour mieux jouir de la situation. Il la désirait.

Pieds nus sur le parquet, la démarche silencieuse d'un félin, il se coula lentement vers elle, immobile, immergée dans sa contemplation. Pourtant ses hormones auraient dû lui signifier qu'un nuage de phérormones s'insinuait en elle. Il était si proche qu'il découvrait la nuque de la femme, il s'enivrait de son odeur, une odeur animale, que la toilette du matin n'avait pas encore dissoute, un mélange de beurre, de yaourt, d'une pointe de suif, il vacillait. Des éclairs de désir jaillissaient dans le creux de son ventre comme ceux de l'orage de la veille.

Il baissa la tête, et déposa un baiser timide sur le petit coin dégagé de la nuque tellement convoitée.

Roberta se retourna, elle pleurait ! Ses joues étaient inondées. Elle ne le regardait pas ; les yeux perdus dans le vide, elle semblait inhabitée. Maladroitement, en l'observant en oblique, il la prit dans ses bras, elle s'abandonna sans retenue, la tête appuyée dans son cou, les bras ballants, inerte. Il la maintenait contre lui résignée. Éprouvait-elle un chagrin, finalement, ou une joie intense ? On ne pleure pas par indifférence. Il était perturbé par la situation et ne comprenait pas l'attitude de Roberta, ni surtout son silence. Il la garda contre lui, massant doucement son dos et sa nuque. Ils restèrent longtemps dans cette position, elle se tenait blottie et lui, bien campé sur ses deux jambes, la maintenait. Il découvrait, du bout des doigts, le corps musclé de Roberta et la chair ferme de ses bras avec un plaisir mêlé de culpabilité. Elle ne réagissait pas et ne semblait pas en mesure de gérer une situation qui la dépassait apparemment. Elle s'abandonnait à lui, mais lui, en revanche, n'était pas du tout certain qu'elle soit consciente. Il redoublait de prudence et d'attention pour ne pas la brusquer.

Il pressentit, à un certain moment, qu'elle émergeait de sa torpeur, il sentait les mains de Roberta s'agripper à l'étoffe de sa chemise et devinait que son corps glissait entre ses doigts ; il la laissa faire comme un animal blessé dont on guette les réactions ; ce silence inhabituel entre eux bourdonnait dans ses oreilles. Il n'osait parler de peur de la perturber, la conjoncture devait être d'une importance capitale pour elle. Il la serra dans ses bras ; elle se rapprocha, se blottit contre lui, il augmenta tendrement la pression, et, à ce moment, elle éclata en sanglots. Il perdait ses moyens ; que faire pour être utile dans une situation qui le dépassait : la serrer doucement, pour manifester sa présence attentive ? L'orage de la soirée du jour avant avait été prémonitoire de ce qui se passait ce matin. Roberta incarnait la Sicile, parfois sombre, l'espace d'un instant, le temps qu'un nuage se forme, pour tout aussi vite disparaître. Maintenant, il la découvrait fragile ou profondément éprouvée ; que s'était-il passé depuis qu'il l'avait quittée hier soir ?

Elle pleurait, se vidait dans son cou, comme si le sentiment qui l'envahissait la réduisait à l'état amorphe, son corps avait la consistance d'une marionnette en caoutchouc ; il avait la sensation que s'il l'abandonnait, elle s'écroulerait sur le sol. Doucement, en la maintenant dans ses bras, il l'entraîna vers le banc, s'y assit en la posant à côté de lui. Elle s'agrippa des deux mains à son cou et les hoquets de douleur cessèrent. Maintenant, il caressait ses cheveux. Tendrement, il essuya les larmes qui noyaient le visage de Roberta. Elle ne bougeait pour ainsi dire pas, le gros de l'orage semblait être passé et il eut la sensation qu'elle s'assoupissait. Le dos calé contre le bois, il guettait ses réactions. Endormie, il desserra l'étreinte de ses bras, avec précaution, guida son visage contre ses genoux en guise d'oreillers. Elle semblait sereine et respirait calmement. Lui, en revanche, se posait mille questions. Il se doutait qu'il n'avait pas de responsabilité dans l'événement qui avait assailli Roberta, qu'elle était envahie d'une douleur immense qui la dépassait, mais qu'est-ce qui avait pu la déclencher ?

Le rêve de la Sicile s'éloignait. Il y avait cette cave sournoise, cet environnement maffieux hostile, et puis, maintenant, cette femme ravagée par ce qu'il interprétait comme une vision. Sa quête de mysticisme tournait à la péripétie. Il subissait une aventure qu'il n'avait pas souhaitée et se trouvait emporté par un tourbillon de tribulations qui le désarçonnaient. Il était le spectateur passif de choses, de manifestations qui ne semblaient pas le concerner, qui le dépassait. Il n'entrevoyait pas le moindre lien causal entre eux, car existait-il un rapport entre lui et la cave, ou avec la cave et le vieillard ou le vieillard et Roberta ou entre Roberta et la cave ? À quoi bon se turlupiner pour un problème dont il ne connaissait pas l'énoncé !

Il dégagea doucement la tête de Roberta, posa un coussin sous ses cheveux et se glissa hors du banc.

Le soleil était presque à son firmament, assis sur le sol, il regardait Roberta. Elle était toujours assoupie ; il en profitait pour l'examiner et scruter, au travers de son corps, l'émergence d'un secret. Il la regardait avec intensité comme pour la digérer, l'engloutir, la faire disparaître en la consommant. Il pensait qu'au-delà du désir, il appréciait la compagnie de cette femme. Entre Roberta et lui, il ne s'était jamais rien passé, ils n'avaient jamais abordé le thème de leurs sentiments respectifs, ils se fréquentaient lors des leçons, les cours avaient été prolongés, mais ce n'est pas parce que Roberta avait dormi la nuit sur le canapé qu'une aventure pouvait naître. Il s'angoissait à l'idée de mettre des mots sur son désir et de lui faire la part des états, choses, attitudes, qu'il appréciait chez elle. Et puis, il faudrait que Roberta se réveille et lui explique son comportement ; peut-être y verrait-il plus clair.

Roberta avait bougé un bras et commençait à remuer. Il se rapprocha, attentif. Elle avait le visage détendu lorsqu'elle ouvrit les yeux, des yeux bruns piqués de grains verts, il ne les avait jamais regardés avec autant d'intensité. Roberta se tourna vers lui, il maîtrisa un profond soupir. Ils restèrent longtemps plongés dans l'abîme du regard, hypnotisés, auscultant leurs âmes respectives, pour y saisir les sentiments réciproques, éprouver leur confiance. Roberta leva le bras et le tendit vers son visage ; elle posa son index sur sa bouche, comme pour clore l'incident, et en même temps, prit sa main pour l'appliquer sur ses lèvres à elle ; elle concluait un pacte avec lui sans lui demander son avis, mais il saisissait bien que ceci devait rester un secret entre eux. Il était ravi d'être attaché à elle par ce contrat, mais déçu par le fait qu'il ne comprendrait jamais ce qui s'était passé en elle ce jour-là. Il aurait espéré un autre lien qui correspondit plus à son désir. Elle s'assit, secoua ses cheveux pour se recoiffer, et demanda à boire.

Dans quel état se trouvait-elle, qu'éprouvait-elle, comment être utile ?

« Si, molto bene[4] », le doigt sur la bouche insistait pour taire le sujet.

La journée se passa comme un rêve. Roberta avait deviné ses sentiments, elle lui parlait des siens. Elle avait retrouvé le rythme fluide de ses conversations et une atmosphère enchanteresse baignait le couple tout neuf. Il ne quittait plus ses mains fraîches. Elle se laissa prendre par la taille et l'étreignit, c'était une femme liane qui se lovait tout en souplesse en empreignant la trace de ses formes sur son corps, avec la puissance d'une presse

---

[4] Oui. Je vais bien.

d'imprimerie. Tandis qu'ils marchaient dans la campagne, enlacés, le soleil baissait pavillon. Pendue, éperdue à son cou, appuyée, abandonnée sur son épaule, fouillant des ongles la puissance de son dos, la main calme sur son ventre palpait la tendre pulsation des abdominaux, fouinant sous ses bras de chemises, le cheminement de ses muscles, elle découvrait curieuse et onduleuse, le paysage de son corps, le tout entrecoupé de longues haltes où ils restaient pressés l'un contre l'autre. Il l'écrasait dans ses bras, il voulait exprimer tout ce qu'elle était, la broyer et la remodeler. Il riait.

Sous un vieil olivier, ils s'installèrent à même le sol pour se reposer ; la terre rouge formait une couche moelleuse propice aux amants. Elle enlaça ses épaules et lui, ne lâchant pas ses mains, suçotait ses cheveux, il les prenait à pleine bouche, les mâchonnaient avant de les lui rendre tout humectés, et puis il en saisissait une autre boucle qu'il modelait à nouveau, il désirait l'imprégner complètement de sa salive comme les animaux, pour l'identifier. Il voulait la laver, l'astiquer dans les moindres recoins, faire de Roberta sienne, il glissa la langue au fond de ses oreilles, y dénicha des saveurs amères qui le réjouissaient. Le long cou musclé révéla un mélange harmonieux de transpiration et de graisse fraîche ; il s'en régalait. Il engloutit son nez, fouilla ses narines, lapa les humeurs salées. Il aspira délicatement les cristaux de larmes déposés sur ses joues. Elle releva le menton, offrit sa bouche ; il la prit, fouillant le petit territoire humide et délectable, elle lui donna sa langue, l'abreuva de sa salive ; il en demandait et réclamait encore. Il voulait la boire et la manger. Il serrait Roberta dans ses bras et se désaltérait à la source de sa bouche. Roberta était esclave passive, tout abandonnée à la volonté de son amant, mais aussi esclave active attentive, devançant ses désirs et accomplissant au mieux, dans l'instant, les gestes qu'il lui suggérait.

Il dégageait son corsage, libérait les petits seins qu'il entreprit de laver de sa salive, comme son cou, sa nuque, ses épaules, il la dégustait comme un fruit. Voilà, se dit-il, dans un éclair, le futur fruitier de mon verger. Il arrachait sa robe et la libérait de ses sous-vêtements. Roberta renversa la tête en arrière, présenta ses seins sombrement auréolés tout en cambrant les reins. Son buste menu se déclinait comme une portée de musique, les côtes saillantes le bouleversaient. Il voyait, dans l'offrande, le sentiment qu'elle ne s'appartenait plus, qu'elle lui faisait présent de toutes les parcelles de sa chair et le cadeau de tous ses organes, ce qui accentuait le don qu'elle faisait d'elle. Il la caressait. La paume largement ouverte, comme pour en mieux appréhender la forme. Il glissa le doigt précieusement sur chaque côté, suivant leur tracé arqué, troublé par l'image de ce corps consacré, qu'il identifiait à celui que les Aztèques dédiaient aux dieux.

La carnation délicate des petits seins blancs l'émouvait, il gobait les globes tendres et Roberta le modérait en geignant :

« Non cosi in fretta » murmurait-elle, « dolce » », « io sono molto sensibilile ».[5]

L'italien décliné dans son oreille l'excitait davantage, Roberta composait le cocktail érotique auquel il ne pouvait résister ; c'était pour cette sensualité qu'il voulait parler italien. L'accent le ravissait tant il le trouvait séduisant, mais, dans la bouche d'une femme dont il était amoureux, la mélodie décuplait son désir.

Roberta se lovait contre lui, pressant son ventre contre le sien. Il palpait avec ferveur la chute ferme de ses reins et découvrait

---

[5] Pas si vite (…) doucement, je suis très sensible

la masse tendre et alanguie de la croupe tant convoitée. Il dessinait, chaviré, le contour des hanches de Roberta. Elle poussa, provocante, son bassin en avant ; il sentait son pubis se tendre vers lui. Il écarta ses cuisses, glissa une main entre ses jambes pour saisir la chair de ses fesses. Elle rugit en frottant rageusement son sexe contre son bras accroché fermement à son divin postérieur. Il entreprit d'enlever son slip en se faufilant sous le tissu vers la tendre toison, son désir brûlait ses viscères.

Roberta fit un geste en arrière, se libéra, le saisit aux poignets, écarta ses bras et les noua dans son dos, et murmura :

« Non cosi in fretta »

Le désir porté à son paroxysme percutait ses tempes, il voulut la reprendre, elle se défendit.

« E più tardi[6] ».

Déçu, étonné, freiné dans son élan, au moment où il s'y attendait le moins, haletant, il essayait de comprendre ce revirement. Roberta l'inondait de baisers, caressait ses cheveux le serrait contre elle. Roberta voulait lui donner du temps pour qu'il puisse l'entendre, pour le calmer, lui signifier qu'elle proposait de retarder le moment magique de son offrande afin de mieux apprécier chaque étape de leur découverte mutuelle, de les magnifier, comme dans un effet zoom, dans l'intention de densifier chaque instant ; arrêt sur image, chaque parcelle de chair ; gros plan au téléobjectif, ajuster la netteté ! Lentement, il se détendait en discernant dans la voix de Roberta le cheminement inattendu qu'elle lui suggérait. La vague de désir le submergeait, une pression énorme dilatait son corps, allait-il exploser ?

« Non ti piace[7] », osa-t-il.

---

[6] Plus tard
[7] Tu n'aimes pas ?

Elle souriait, serrant la tête congestionnée de son ami entre ses doigts en la berçant doucement.

« Prendere il NOSTRO tempo[8] », ajoutait-elle pour le convaincre.

Elle lui ouvrait la porte sur un dessert charnel qu'il ne connaissait que sous la forme d'une glace vanille recouverte d'un coulis de chocolat chaud ; un mélange détonnant de désir et de retenue, d'accélération et de coups de freins, d'exaspération raffinée et d'assouvissement abrutissant. Elle lui suggérait de décupler le temps de plaisir en le maîtrisant, en le poussant au bout de ses retranchements.

Il adorait la frustration qu'elle lui proposait, il découvrait qu'elle n'émettait pas l'once d'un refus, au contraire, elle signifiait un oui d'une longueur infinie.

Elle se revêtit lentement, assise sur la terre qui avait mémorisé le pacte. Lui, à genoux derrière elle, écrasé d'un bonheur intense malgré le vertige que créait en lui cette voie nouvelle et inconnue, penché sur elle, pressant ses seins dans ses paumes, en murmurant à son oreille : « Roberta, Roberta, Roberta, » sur toutes les notes de la gamme.

Roberta partagea son lit à partir de ce jour.

Dans les journées qui suivirent, ils ne quittèrent plus la chambre ou le divan-lit de la terrasse. Roberta se découvrait être une femelle au tempérament redoutable, épicé d'un zeste de nymphomanie. Conciliante, elle lui accordait des temps de repos qu'elle occupait à se refaire une beauté en vue d'un nouvel assaut. Il lui avait proposé d'assumer toute sa toilette lui interdisant toute ablution en la léchant consciencieusement, comme les chats, à longueur de journée. Il ouvrait la porte à un

---

[8] Prenons notre temps

de ses phantasmes : rendre à l'odorat ses lettres de noblesse, espérant ainsi mettre à jour le parfum animal de Roberta.

Tout était prétexte à de nouveaux jeux amoureux, elle initiait des ébats qu'il essayait au mieux d'intégrer et il développait les siens qu'elle sollicitait en frappant dans ses mains. Son apprentissage de l'italien fit des progrès remarquables. Le vocabulaire nouveau d'un dictionnaire censuré lui fut enseigné et il l'assimilait avec gourmandise. Maintenant, les moindres recoins du corps de Roberta avaient un nom, comme une étiquette sur lesquels il avait imprimé la marque de sa tendresse.

Un aller-retour vers son village, pour récupérer les quelques vêtements, nécessaires à sa vie d'amoureuse, scella l'installation définitive de Roberta chez lui. Il n'était pas certain de lui avoir demandé de rester, mais comment résister ? Il était ravi, épris, saoulé de désir.

Roberta partageait son envie d'ascèse ponctuée de profondes conversations et surtout d'ébats torrides, épiques. Le pain du boulanger séchait souvent sur le portail tandis que les amoureux exténués dans la chambre transformée en champ de bataille somnolaient dans le lit éventré.

Le costaud à mobylette dut frapper à la vitre et insister, car il avait oublié l'enveloppe qu'il remplit subrepticement sous l'ourlet sombre du regard de Roberta.

Angélina ordonnait ce fourbi avec une pointe d'amusement et une remarquable discrétion. Emilio, effacé, arrosait les légumes abandonnés qui dépérissaient sous le soleil automnal.

La vie avait changé, l'ennui n'était plus au menu, ils mettaient en commun un appétit de chair également convoité. Il ne s'embarquait plus dans ses langoureuses réflexions sur son sinistre sort d'artiste méconnu et délaissé.

Ici, en Sicile, la problématique de l'art contemporain était à cent lieues de ses préoccupations. Dans les bras de Roberta, entre les jambes de Roberta, dans la bouche de Roberta, la vie s'écoulait douce et sans nuages. Il se rappelait et répétait le conseil de son ami, celui qui avait décidé de son sort : « Tu verras, en Sicile, le vin est bon, la nourriture est excellente, les paysages fantastiques et les femmes sont très jolies ». Il ne pouvait que le constater et s'en réjouir.

Ils dégustaient la Dolce Vita que la Sicile, terre idéale leur offrait et l'hiver leur dispensa une tiédeur propice aux caresses tendres jusqu'au printemps. Cela faisait plus d'une année qu'ils avaient fusionné leurs existences sans prémisses annonciatrices d'un affaiblissement de leurs ardeurs. Ils partageaient le même appétit pour le farniente et le plaisir de la chair ainsi qu'une aversion profonde pour les travaux de toutes sortes. Tout n'était que luxure et pétillements spirituels dans cette campagne sicilienne paradisiaque. Roberta avait acquis un parfum de chair à couper le souffle. Ses narines frémissaient lors de la perception de la première salve de flagrance de cuir fauve persillée de fins effleurements éphémères ailés, la note de cœur distillée dans les méandres des sinus émanait d'un échelonnement de saveurs aigres, acidulées. Un lot d'effluves amers balsamiques et tanniques divers constituait la note de base qui tapissait les récepteurs olfactifs. Il en avait des tourbillons. Plus il s'appliquait à la bichonner de sa salive, plus cette odeur se développait et l'imprégnait. En plus, il en devenait captif, il avait conçu un aphrodisiaque à l'image de la femme aimée ; une drogue qui était sienne et elle tout à la fois. Roberta s'en félicitait. Non seulement la toilette était devenue une source de caresses inédites, mais elle tissait leur intimité en des liens innovants qui investissaient tous les sens. Il furetait sur le corps de Roberta, dans tous ces moindres recoins, du bout de la langue et il identifiait son humeur au gré des différents effluves qu'elle émettait. Un nuage d'irritation se signalait par une abondante émanation capiteuse sur son front, tandis qu'une joyeuse initiative se soldait par l'excrétion de sucs poivrés aux bords des paupières qu'il lapait habilement. Il avait perçu un jour une ombre de tristesse et vite, s'enquerrait, de l'effet de ce sentiment sur les humeurs de Roberta ; la réponse avait été trouvée sous les aisselles, sous la forme de sels ambrés d'exsudation qu'il avait sucés au plus vite afin de la débarrasser de cette émotivité inattendue.

La sociologue universitaire américaine ne soufflait aucun mot sur les relations affectives des gens dont l'espérance de vie est supérieure à la moyenne, ce devait être certainement une de ces puritaines américaines qui interdisent aux autres ce qu'elle ne se refuse pas en comité discret.

8

Un jour après une longue promenade dans la campagne humide, elle l'avait entraîné vers la cabane du potager pour admirer encore cette construction intrigante ; elle lui avait suggéré de dégager le sol pour mieux l'examiner, mais il éluda la chose en invoquant mille excuses ; maux de dos, douleurs articulaires, il avait ajouté avec un large sourire que son tempérament devait être protégé des efforts physiques afin de garantir la pérennité de son amour de la chair. Elle parut se satisfaire de cette argumentation.

Mais, comme il le craignait, le lendemain, têtue, elle revint à la charge en lui promettant de l'aider à la tâche. Pas facile de se dérober une nouvelle fois. À deux, ils éliminèrent les déblais qu'il avait accumulés pour simuler un camouflage et mirent à jour le plancher articulé. Il se sentit acculé. Comme il ne pouvait plus reculer, il l'entraîna à l'intérieur de la cabane et lui raconta le secret qu'il y avait autrefois découvert. Il lui fit jurer comme elle l'avait fait auparavant, un doigt sur la bouche et lui décrivit le contenu de la cave. Elle ne tenait plus en place. Il fallait absolument qu'elle s'en rende compte par elle-même. Et ils s'enfoncèrent dans l'obscurité de la cave. Les lieux n'avaient pas changé, et pour cause ; elle examinait le sol, les différents types de maçonnerie l'étonnaient, la questionnaient, elle avait l'air grave et fouillait tous les recoins de l'espace. Il lui avait parlé de l'escalier et de la piscine sous leurs pieds. La magie de la grotte et la grande vasque turquoise incendiaient ses rêves. Ses yeux étincelaient. Fébrile, comme une enfant devant un nouveau jouet, elle voulait déchirer immédiatement l'emballage. Elle sautait sur place. D'une impatience absolue pour la visiter, mais comme elle, il fit :

« Délicatamente dopo »[9] en pressant son index sur sa bouche. Son italien s'était remarquablement amélioré !

Il n'envisageait pas de faire de l'escalade avec elle, car il soupesait le risque : trop élevé. Un imprévu, une blessure pourraient avoir des conséquences dramatiques. Il n'aurait pu, devant un incident, n'être qu'un faible appui, et, bien qu'il eût une excellente condition physique, son corps ne répondait plus aussi prestement ni avec la vigueur nécessaire pour réagir en cas de pépin. Il avait trouvé, lors d'une nuit blanche, de judicieuses idées sur la meilleure façon de tenter l'aventure. Un treuil électrique aurait fait l'affaire, mais cela demandait des travaux imposants, pénibles et surtout une grande discrétion. Angélina aurait posé des questions. Emilio aurait, certainement, pu donner un coup de main. Il ne voulait, à aucun prix, ébruiter le secret qui dormait sous le plancher de la cabane, cet Éden lui semblait trop précieux pour le partager avec quiconque. Roberta admit aisément ses scrupules. Mais dans les jours qui suivirent, elle revint obstinément à la charge et proposa même son aide pour faire les travaux. Et pourquoi pas la nuit ? Et puis pourquoi être aussi discret ? Il n'y avait, en fait, aucune raison sauf celle de préserver leur intimité. Après tout, il avait le droit d'avoir des lubies et moderniser cette cabane relevait plutôt d'une bonne gestion de son patrimoine. Il était finalement convaincu ! Il avait

---

[9] Doucement, plus tard.

des réponses suffisamment rassurantes à ses tourments pour envisager sereinement le projet.

Il irait à Agrigento acquérir le matériel nécessaire. Emilio effectuerait le travail de terrassement pour enfouir le câble électrique dans une tranchée.

Rassuré sur l'évolution de ses idées et la grande confiance que lui témoignait Roberta, il décida d'acquérir un treuil de chantier et le matériel nécessaire pour finaliser cette installation. Leur projet d'utiliser cette grotte comme piscine privée envahissait toutes leurs conversations et tous leurs rêves. Il avait résolu le problème de la fixation du treuil sous le plancher. Il avait imaginé qu'un double baudrier pourrait les contenir tous les deux pour effectuer ensemble la descente dans la profonde cavité. Une commande électrique souple, suffisamment longue les accompagnerait pour atteindre le fond, de même pour la remontée. Le moment était propice pour envisager de tels projets : le soleil se montrait généreux, ce qui assurerait une température idéale de l'eau. Il s'imaginait des baignades romantiques avec Roberta, à la lueur de bougies. L'endroit déclencherait une myriade de nouvelles fantaisies sensuelles ; il entrevoyait des étreintes marines dignes de Néréides. Il avait lu, un jour, dans une revue pseudo psycho littéraire qu'il était déconseillé de vivre ses phantasmes, car la déception risquait d'être au rendez-vous.

Avec Roberta, il devait se rendre à l'évidence : tout cela n'était que tempête de sable pour à nouveau museler la sexualité des puritains. Ils avaient, tout au contraire, découvert qu'un phantasme vécu ouvrait une fenêtre pour en faire surgir d'autres ; si on muselait le premier, le mécanisme se bloquait, empêchant d'autres apparitions. Comme dans un livre, il y avait toujours une page « suivante » et sa crainte se plombait dans l'éventualité d'une dernière page. Dans cette quête éperdue du phantasme, il redoutait qu'il y ait une ultime échéance. Il comptait sur son énergie et son talent de créateur pour mettre en place une infinitude de variantes. La lecture d'un roman qui traitait de ce sujet le hantait. Un couple avait décidé de réaliser toutes les expériences sexuelles liées à leurs phantasmes. Le roman, très bien rédigé, décrivait minutieusement les sentiments des protagonistes. Il éprouvait un certain scepticisme devant leurs prouesses et leur intrépidité, mais le plus important était de suivre la pensée de l'écrivain – un philosophe français de renom cité pour ses ouvrages sur l'autoflagellation des Européens –, et surtout de voir comment le romancier gérerait la fin de l'histoire, en d'autres termes la contrariété de la dernière page ! Les amoureux poursuivaient leur périple sexuel sans exprimer de lassitude, ou de sensations d'émoussement ; au contraire, chaque phantasme assouvi enclenchait les insolences les plus folles, les audaces les plus téméraires. C'est ce qui lui posait un problème, car si on pousse toute expérience à son paroxysme, et qu'on ne maîtrise plus son déroulement, le processus s'emballe, la catastrophe est inexorable. Il voyait cela comme une réaction chimique ou biologique incontrôlable et la fin se traduisait inéluctablement sous la forme d'une explosion. Dans la dernière page du livre, le héros tuait son amoureuse et se suicidait à son tour.

Cette issue dramatique le glaçait. Cependant, il ne se sentait pas d'humeur à se priver des charmes de la femme ni à étouffer ses propres phantasmes. Artiste en roue libre, il ne débordait pas moins d'énergie ni d'idées. Roberta, devant ses scrupules, semblait résignée :

« Se questo è nostro destino e il nostro desirio, decideremo insiemo »[10], répétait-elle.

Il se rassurait en éludant la peur de l'étrangeté de cette expectative ; en effet, il était persuadé que de belles perspectives s'ouvraient devant eux, dévoilant le champ vierge d'une autoroute de plaisir. La préparation d'une relation sexuelle avec Roberta pouvait prendre plusieurs heures, et même plusieurs jours. Ils avaient, tous deux, une satisfaction intense à décrire leurs désirs et leurs ressentis et cette complicité se traduisait par des élaborations sophistiquées de scénarii d'amour qui s'épaulaient sur un ciselage d'orfèvre de leurs réflexions intellectuelles. Cette alchimie développait entre eux une atmosphère électrique qui exacerbait leur union, car, pour sublimer leur plaisir, ils mettaient en place des stratagèmes astucieux, capables de retarder au plus loin l'ultime fission.

Il y a quelques années, son médecin en Europe lui avait conseillé la lecture d'ouvrages sur le tantrisme. Il en avait assimilé de vagues notions, mais il n'avait retenu qu'une idée : ce n'était pas tant l'acte qui importait, mais sa représentation et surtout sa préparation, et là, ils excellaient tous les deux.

L'appât de plaisirs dans l'eau tiède de la grotte sombre apparaissait comme un terrain fertile à de nouveaux jeux et des développements inattendus de leur imagination.

Il avait acquis un treuil de chantier à Agrigento et parcouru la ville en tous sens pour trouver les fournitures électriques adéquates. Le marchand de matériel d'alpinisme avait été d'un précieux conseil en lui expliquant comment amarrer deux baudriers, comme cela se faisait lors de l'évacuation de blessés en montagne.

---

[10] Si c'est notre destin et notre désir, nous déciderons ensemble.

Enjoué, la tête dans les nuages, il suivait dans sa camionnette les routes sinueuses qui le rapprochaient de sa ferme. Joyeux, il sifflotait, alors qu'une fine pluie annonçait les masses de brouillards d'altitude et les essuie-glaces rythmaient d'un tempo plein d'entrain son retour, qu'il accompagnait de son pied libre en tapotant le sol. Il se sentait d'humeur lyrique et inventait des musiques baroques où s'immisçaient des bruits, ceux du corps de Roberta. Jamais ce paradis méditerranéen n'avait tenu autant ses promesses.

Il franchit la grille à la tombée de la nuit et gara sa voiture sous les acacias. La mémoire du sillage de Roberta flottait dans l'air, et il se réjouissait de la retrouver.

La maison se dissimulait dans la pénombre, la porte était entrouverte ; il la poussa, pénétra comme un chat dans la pièce, appela :

« Roberta ! »

« Roberta » ?

« Roberta » ??

Pas de réponse.

« Roberta !!?? » dit-il plus fort.

Aucun mouvement, aucun bruit de pas, aucun déplacement d'un corps dans la pièce ni dans la maison. Quelle surprise lui réservait-elle ? Peut-être que la journée avait été, pour elle, propice aux rêveries et fertile en prémices de retrouvailles amoureuses. De son côté, il voulait aussi la prendre au dépourvu. Il palpait le mur dans le noir, tourna l'interrupteur et fit la lumière.

Roberta gisait sur le sol, inerte, allongée sur le dos.

Il se précipita, se pencha sur elle, lui murmurant des mots doux. Il passa un bras sous ses reins, la souleva légèrement, chercha ses mains, déposa un baiser sur sa bouche pour la réveiller. Avait-elle fait un malaise ?

« Roberta ! » insista-t-il.

Ses lèvres, froides et closes, ne réagissaient pas aux caresses dont il l'entourait ; son corps restait insensible aux doigts qui la palpaient en tous sens.

L'inquiétude l'envahissait ; il la secouait, lui tapotait les joues en murmurant :

« Roberta, Roberta, c'est moi ! »

Il voulut la soulever et, là, il constata son apathie. Il l'attira contre lui, elle était raide et froide.

Il la frotta dans tous les sens, comme pour la réchauffer. Efforts inutiles. Roberta était morte.

Il arracha les vêtements de Roberta, la déshabillant complètement. Il l'embrassa, la lécha, chercha les traces de chaleur qui lui indiqueraient où des parcelles de vie de Roberta persistaient. Il desserra les mâchoires, de force, et enfonça sa langue dans la bouche sèche. Sa douleur déchirait ses poumons et tordait ses viscères de crampes paralysantes. Son désespoir fondait dans une désillusion immense. Roberta ne donnait plus aucun signe de vie, elle était morte depuis longtemps. Il hurla comme une bête à l'agonie.

Broyé par la douleur et sans force, il la déposa sur le sol et se coucha sur elle il éprouvait une furieuse et barbare idée de lui faire l'amour une dernière fois. Morte, elle le fascinait encore. Il ressentait un désir puissant de la faire jouir. Son sexe membré ne put pénétrer le vagin roide. Il s'humecta la main de salive et en lubrifia la vulve bleue et glacée de Roberta. Son pénis tumescent télescopait le sexe de Roberta dans un fracas de chairs brisées. Le vagin de la dépouille ne résista pas à l'assaut et il jouit presque instantanément, spasmes et sanglots assujettis, sperme et sang coagulé, vie et mort enchaînés dans la même étreinte. Il la tenait serrée sous lui, contre lui, l'enlaçait, hoquetait des mots d'amour et des mots d'adieu. Il s'affala sur le côté lâchant Roberta inerte. Anéanti, il ne pouvait pas la ressusciter, et sa douleur s'écrasait comme une vague sur les rochers rugueux de son désespoir.

Hideuse mort ! Lui enlever sa douce, sa chère, sa tendre aimée.

Il courut aux toilettes vomir sa détresse.

Quand il revint, le goût amer de bile en bouche, il sentit naître en lui un désespoir immense. Il s'agenouilla près de la morte et tenta pudiquement de la rhabiller. Il la souleva, la retourna sur le ventre pour lui enfiler ses vêtements et c'est à ce moment qu'il découvrit dans sa nuque, le trou béant, le sang séché, que dissimulaient les boucles épaisses.

Il prit la tête tant aimée et l'embrassa avec passion ; ses larmes se mêlaient au coagulum violacé ; il lapait les mèches poisseuses, les enduisait de sa salive ; il faisait sa toilette suivant les habitudes qu'ils avaient communément adoptées. Il la lavait à nouveau comme il l'avait toujours fait. Il haletait, poussait des gémissements sauvages, pressait le cadavre de toutes ses forces, la poitrine secouée de spasmes violents.

Il n'avait plus qu'une dépouille dans les bras ; on lui avait enlevé ce qu'il avait de plus cher au monde. Roberta avait été assassinée.

Il identifiait le signal.

Il regarda autour de lui, sur la défensive, et ferma la porte.

Une colère sourde naissait en lui. Elle envahit tout son corps, glaçant ses articulations et bloquant ses mâchoires. Un étau lui comprimait la tête,

Pourquoi Roberta ?

Qu'avait fait Roberta pour que des gens aussi déterminés et violents décident de la tuer ?

Mais pourquoi assassiner Roberta ?

Elle était pacifique, jamais elle n'avait évoqué un ennemi ou une rivalité quelconque, ni un amoureux évincé. Il croyait tout connaître d'elle, mais ce n'était qu'illusion : autant elle donnait l'apparence d'être bavarde, autant elle éludait son passé, autant elle parlait d'elle avec parcimonie. Mais, de ce qu'il savait, rien ne pouvait anticiper un drame semblable. Elle avait posé un filtre qu'il respectait et patientait avant qu'elle se sente encore plus en confiance pour se dévoiler.

Un meurtre aussi violent signait un règlement de comptes maffieux. Mais alors, quel rapport Roberta pouvait-elle entretenir avec la Maffia ?

Si c'était la Maffia, alors le vieillard receleur devait avoir son mot à dire. Le raccourci tombait d'évidence.

La rage l'étouffait, l'écume s'accumulait aux commissures de ses lèvres et se mêlait aux traces de sang séché qui marbraient ses joues.

Il palpa la petite clef du placard dans le trousseau. Son contact catalysa un signal déclencheur, il ouvrit la porte, dégagea le paquet de tissus gras qui entourait le fusil de chasse à canon scié, enfila une grande gabardine de toile épaisse pour se protéger de la pluie qui enflait de puissance, enfonça sur son crâne un chapeau en feutre, puisa une poignée de munitions et fourra l'arme chargée de chevrotines dans une des profondes poches de l'imperméable.

Le costaud. Lui devait savoir. Il fallait qu'il le retrouve au plus tôt, lui arracher les indices qui lui permettraient de trouver le repère du parrain du clan. Il fouilla la montagne dans la nuit, se remémorant les carrefours et les chemins de terre qui conduisaient au hameau où il avait identifié la motocyclette bleue appuyée contre le mur. Le pinceau des phares peignait les talus, découvrait les rochers, isolait les troncs d'arbres. Silencieux, les crocs de ses doigts tenaillaient le volant de plastique. Il ruminait la théorie d'un complot dont Roberta avait fait les frais et ne comprenait pas pourquoi il avait été écarté de cette tuerie, il aurait préféré mourir avec Roberta plutôt que de lui survivre. Il subissait un double châtiment.

Il identifia la maisonnette où il avait aperçu la motocyclette bleue. Une faible lueur perçait les rideaux d'une petite fenêtre. Il enfonça la porte d'un coup d'épaule. Le costaud affalé dans un fauteuil détourna un regard glauque de la télévision pour le découvrir avec ébahissement.

« Dov' è il vecchio ? »,[11] gronda-t-il.

Le costaud, le reconnaissant, sursauta, se souleva de son siège, esquivant un geste de menace, mais s'écroula immédiatement sur le sol, une rafale de chevrotines tirée au travers de la poche de sa gabardine, avait fracassé son genou.

Il savait maintenant que plus rien ne l'arrêterait, il était entré dans un cycle infernal qui n'avait pas d'issue. Il appela Caravage à la rescousse. Caravage avait dû connaître ce genre de situation lorsqu'au cours d'une bagarre, il avait trucidé un rival. Caravage était reconnu pour son tempérament querelleur, lui se qualifiait tout le contraire.

« Aide-moi, vieil ami »

Ainsi, il rejoindrait Caravage, non dans les musées, mais dans une prison ou un exil.

Ce coup de fusil enclencherait un engrenage de violences dont il ne mesurait pas encore l'ampleur, mais il avait la

---

[11] Où est le vieux

conviction qu'il ne s'arrêterait pas tant que sa colère ne serait pas assouvie. On aurait dit que toute l'énergie qu'il avait accumulée pour terminer ses jours en Sicile servirait ici, dans ses collines, à traquer ceux qui avaient tué Roberta. C'était un combat entre eux et lui et entre la mort et lui. Il disposait de peu d'atouts, les ressources de son corps usé ne seraient pas de grande utilité et il devinait que les adversaires seraient nombreux, jeunes et mieux armés. Peu importe, ce n'était pas lui qui avait déclenché les hostilités, et bien peu auraient pu éventer que ce bourgeois lascif lèverait le petit doigt pour se défendre. Il devait profiter de l'effet de surprise sans perdre le moindre instant. Après la torture du costaud, toute la bande le poursuivrait pour le venger. Sa peau ne valait plus grand-chose sur la terre de Sicile. Son plan : prendre le clan de vitesse et utiliser l'atout de son âge comme camouflage. Qui imaginerait que derrière ce retraité inoffensif se dissimulait un tueur professionnel, un vieux terroriste certes, qui n'avait jamais exercé son art, mais qui en avait acquis la maîtrise. Il devait mettre en pratique ce que les instructeurs, cinquante ans auparavant, lui avaient serti dans le cerveau ; le tout était de voir si tout le processus était toujours actif. Il ne pouvait plus reculer, car de toute façon l'agression violente sur un membre du clan déclencherait les hostilités de la Maffia locale contre lui. Seul contre une bande de criminels aguerris, c'était de la folie. Il savait n'avoir qu'une infime chance de réussir, mais le principal, à ses yeux, était de tout tenter. Il écartait les remords et c'était l'occasion d'utiliser son cerveau.

« Un vieillard part en guerre » ricanait son menton maculé d'hémoglobine.

Rien à perdre. Son désir de vengeance explosait toute réflexion ; il avait muté en une bête féroce ; le goût du sang de

Roberta en bouche lui donnait l'appétit d'un carnassier. Il grinçait des dents, les mâchoires serrées, il jugulait difficilement son désir de mordre.

« Dov' è il vecchio ? », répéta-t-il sur un ton qui n'admettait aucune contestation.

Le costaud hurlait de douleur : son genou déchiqueté pissait le sang et la plaie béante découvrait à nu les os éclatés. Il comprimait le membre arraché en couinant comme un cochon qu'on égorge. Il fallait faire vite sinon les voisins, alertés par le vacarme, accourraient bientôt.

Il versa quelques gouttes d'essence sur l'articulation broyée du genou.

Le costaud étendu sur le sol, prêt à défaillir, tétanisé, lâcha dans un râle, la bouche grande ouverte sans le regarder ;

« Nel villaggio »[12] ?

Quel village ? La région n'était qu'un labyrinthe de petits hameaux et de bourgs saupoudrés dans les collines.

« Che villagio ? »,[13] hurla-t-il en accompagnant l'ultimatum d'un coup de pied sur le membre déchiqueté.

Il arracha ainsi de la gorge du costaud qui mimait de pleurer ;

« Casa Deliellia ! »

Le costaud se tordait de douleur en serrant le genou brisé dans ses mains qui contenaient tant bien que mal le sang suintant au travers de l'étoffe du pantalon

« La fattoria al supermercato ! »

Dégoûté par la scène, enivré par l'odeur de la poudre mêlée au sang, grisé par la sensation de puissance que lui conférait l'arme qu'il avait en main, il en savait assez.

---

[12] Dans le village.
[13] Quel village.

Méthodique, il approcha du genou la flamme d'un briquet. L'odeur épouvantable de chair calcinée et d'essence ne l'émut point. Le costaud se recroquevilla sur lui-même, s'affala sur le sol et perdit connaissance dans une mare écarlate et écumante qui s'étala rapidement sur le carrelage. Des fragments d'os, des lambeaux de vêtements calcinés, quelques flammèches surnageaient dans cette marée sinistre.

Il était dans sa camionnette ; la pluie dévalait sur les routes de montagne et les essuie-glaces peinaient à évacuer l'eau de l'orage. Sa folie meurtrière avait ressuscité le guerrier que des instructeurs avaient formaté, cinquante ans auparavant. Ses articulations n'étaient plus très souples, ni suffisamment aguerries pour tuer un homme d'un seul coup, du revers de la main, mais il possédait ce fusil et, derrière l'arme, il n'y avait qu'un animal en furie, ivre de vengeance exterminatrice.

Il connaissait ce bourg isolé dans la montagne, au carrefour de plusieurs routes de campagne. La petite supérette sur un coin de rue lui était familière, car la tenancière était reconnue dans la région pour sa grande beauté et lui était arrivée parfois de faire un large détour en prétextant quelques tranches de « salame soppressa », uniquement pour avoir le plaisir de contempler la prestigieuse déesse qui campait derrière son comptoir en s'éventant au moyen d'un journal tout en ignorant superbement les désirs des clients et les admirateurs qui y flânaient. Maintenant, il avait d'autres projets pour cette commerçante avenante que des achats de charcuterie sicilienne.

La boutique était déserte. La femme seule, sous l'éclairage blafard des néons, rangeait le magasin en vue de la fermeture.

Lorsqu'il surgit dans la supérette, la belle, à sa vue, se figea sur place. Paralysée. Les yeux écarquillés de terreur, elle pressa, des deux mains ses oreilles. En deux pas, il était sur elle. Il enfonça ses doigts ensanglantés dans la bouche pour l'empêcher de crier. Il lui poussa le fusil sur son ventre. L'œil fou, exorbité, il hurla :

« Dov' è il vecchio ? ».

Elle pleurait et tout en trébuchant, recula vers le fond du local. Il la bouscula rudement, la secouant comme un pantin. Ils heurtaient les étals de marchandises. Des bocaux de conserves et des bouteilles de vin dégringolèrent en cascades des rayons. Elle feignit de s'affaler sur le sol, mais il n'en avait cure ; il lui saisit un bras et la tança violemment en répétant la question.

« Dov' è il vecchio ?? ».

Il écrasait les lèvres de ses doigts. Sa bouche portait les traces de sang coagulé. Elle semblait avoir perdu toute capacité d'articuler. Il faut dire que sa gabardine maculée de sang et son expression déterminée le désignaient comme un personnage sorti d'un film d'horreur. En d'autres temps, c'était elle qui le faisait vaciller, aujourd'hui c'était son tour. Ce fusil était jouissif.

« Dov' è il vecchio ? »

Elle reniflait en se protégeant le visage de coups éventuels. Tétanisée par sa présence, elle indiqua du doigt une direction devant l'épicerie.

« È il fuori strada… la seconda casa a destra »[14], souffla-t-elle, en accompagnant les mots de pleurnichements, tandis que sa bouche, largement ouverte, se tordait sous l'effet de tremblements compulsifs.

Sa camionnette était garée à l'extérieur du village. Il y saisit le petit flacon en plastique rempli d'essence qu'il gardait dans le coffre pour les pannes sèches éventuelles. Il le glissa en le maintenant d'une main dans la poche déchirée par la salve chez

---

[14] Sur la route, là… la deuxième maison à droite.

le costaud et sous la pluie, dans le bourg désert, le chapeau enfoncé sur les oreilles fonça dans l'obscurité vers la ferme désignée. Vite, se disait-il avant que la tenancière alerte les voisins. Il imaginait bien qu'il devait représenter une menace par son allure de meurtrier dément.

La ferme en question se composait d'un modeste corps de logis entouré de dépendances. Le tout baignait dans l'ombre et était immergé dans ce silence profond et typique des campagnes lorsque la nuit est tombée. Il imaginait les fermiers affairés aux tâches du soir. Un chien aboya au loin. En Sicile et particulièrement dans les campagnes, on ne fermait pas les portes. Il poussa la porte d'entrée et à grandes enjambées, atteignit, via un corridor sombre, une pièce à l'arrière de la maison.

Derrière une grande table en bois, dans la pénombre, le vieillard assis dans un fauteuil semblait l'attendre. Une large fenêtre, derrière lui, constituait la seule ouverture sur l'extérieur. Un escalier menait aux étages. Il devina, malgré le contre-jour, le regard de braise qui le toisait. Déjà le chef maffieux tendait la main vers le fusil appuyé contre la table. D'un bond, il bondit à ses côtés et lui braqua le bout de l'affût encore chaud sous le menton, l'enfonçant dans la chair sans ménagement tout en lui relevant brutalement la tête. Le vieillard gronda de douleur, lâcha son arme, et prenant un air indigné, mais résolu, il parvint tout de même à presser le bouton poussoir d'une lampe de bureau posée devant lui ; il signalait ainsi sa présence.

« Perché ? »[15], hurla-t-il à l'oreille du vieillard peu impressionné qui gardait toute sa superbe malgré la menace.

Deux ancêtres en guerre, cela ne faisait pas sérieux, eurent-ils le temps de penser dans un éclair.

---

[15] Pourquoi ?

Au-dehors, tout s'agitait. Il entendait des cris. Des ordres claquaient. Il perçut des mouvements dans le corridor et à l'étage. La porte s'ouvrit et des hommes en armes surgirent en le menaçant. D'autres dévalèrent l'escalier. Cette conjoncture inédite engendrait chez les protagonistes, la plus grande confusion, car les maffieux découvraient, interdits, leur parrain pris en otage. Ils s'arrêtèrent, paralysés d'effroi, impuissants, car ils ne pouvaient rien entreprendre sans risquer de compromettre la vie du vénéré protecteur de la famille. Tout mouvement pouvait déclencher une catastrophe, même s'ils ne doutaient pas qu'ils avaient la situation en main. Les maffiosi pénétrèrent dans la pièce dans une manœuvre lente d'encerclement ; il avait discrètement lâché le flacon d'essence de sa poche et celui-ci, renversé sur le sol, s'était ouvert et suintait sur le plancher. Tous les regards se tournèrent vers le fond de la pièce, car de l'escalier descendait lentement un jeune homme armé qui le visait.

« Pedro », ordonna le vieillard

« Pedro, uccidilo »[16]

Le parrain donnait ses ordres dans un râle. À l'arrivée des hommes en armes, il avait enfoncé brutalement le canon du fusil dans la gorge noueuse du vieux afin de signifier sa détermination.

Le clan décrivait un demi-cercle autour de lui et se rapprochait lentement, en silence, attendant le moment propice ou la distraction fatale. Lui, debout derrière le fauteuil, faisait face aux bandits et les tenait en respect. Le vieux avait perdu son chapeau, il le rivait à sa portée en empoignant ses cheveux et lui maintenait le canon dans la gorge ; il montrait ostensiblement son doigt posé sur les deux gâchettes du fusil de chasse. La situation était ridicule, pensait-il. Il ne faisait pas le poids, seul, âgé, devant cette troupe de jeunes gaillards rompus au combat.

---

[16] Pedro, tue-le !

Mais la haute respectabilité de l'otage enlevait toute possibilité d'initiative à cette armée de maffiosi. Il devait être dans le repaire de toute la famille, pensait-il, et ce Pedro devait être son héritier, son fils peut-être.

Pedro semblait désarmé devant la situation et le vieux lui répétait d'un ton rageur entre les dents serrées :

« Uccidilo !! ».

La conjoncture était désespérée pour les deux clans, car au moindre geste de la bande, les maffiosi se doutaient bien qu'il tuerait, au risque certain de sa mort, l'aïeul vénéré et cela, ils ne pouvaient l'accepter. Ils devaient admettre que ce touriste suicidaire ne lâcherait sa vie que contre celle du patriarche. Ils découvraient aussi que bourlingueur d'apparence inoffensive se révélait incorrigiblement dangereux, au-delà de leurs estimations. Déterminé, il ouvrirait le feu le premier et exécuterait le chef au mépris de sa vie, car il serait immédiatement criblé de balles. Des deux scénarii, le premier offrait à la bande une maigre chance de réussir, car ils pouvaient espérer que leur adversaire n'aurait pas le temps d'appuyer sur les gâchettes. Dans cette atmosphère au paroxysme de la tension, l'étranger surveillait les moindres gestes d'un regard panoramique et ajustait chaque individu. Le premier moment d'inattention serait fatal.

Il perçut, morbide, l'odeur douceâtre de l'hydrocarbure explosif. Sous la table, il écrasa du pied la bouteille de plastique. Un puissant jet d'essence se vaporisa en direction du cercle des maffiosi et il pressa simultanément la détente. Le crâne du vieux s'ouvrit au ralenti. Il vit la bouillie grise du cerveau gicler dans une gerbe de feu et tout aussitôt, une lumière bleue, fulgurante illumina la pièce ; il eut le temps de dévisager tous les visages blafards, figés, aveuglés, menaçants, les corps, écrasés par l'onde de la détonation, plaqués aux murs. Les murs de la pièce enflèrent comme un ballon et le plafond se souleva.

Il sentit qu'il était projeté dans l'espace, léger comme une plume, tandis qu'il percevait comme dans un rêve le bruit de l'explosion qui soufflait toute la maison. Si ce n'était la situation dramatique, il aurait apprécié cette impression de flottement dans l'air qui devait ressembler à celle d'un vol en apesanteur ou mieux à la sensation océanique primaire du fœtus dans le ventre de sa mère. Il avait le sentiment de parcourir le tunnel dont parlent certains et qui est décrit comme une antichambre vers la lumière éternelle. Ce doit être agréable de mourir, concluait-il.

Le souffle le catapulta au travers de la fenêtre, derrière lui ; son corps pulvérisa les fins montants en bois et les vitres éclatèrent dans une pluie de verres brisés.

La trajectoire le propulsa hors de la pièce et il se retrouva en l'air, projeté dans ce qu'il crut être un jardin. Il retomba lourdement dans des buissons en contrebas de la fenêtre ; les fils de tension d'un vignoble amortirent sa chute comme un filet de protection. Tout hébété, il regardait le brasier dans la nuit : la maison s'était recroquevillée sur elle-même et sur ses occupants. Quelques torches humaines se débattaient dans la fournaise en hurlant. Des crépitements d'armes et des explosions donnaient une allure de guerre à la situation. Il imagina que les rescapés inconscients et à demi carbonisés pressaient machinalement leur gâchette.

Son dos n'était que douleur. Les éclats de bois de la fenêtre avaient arraché la peau sous sa gabardine. L'odeur nauséabonde de cochon brûlé écœurait ses narines, ses sourcils étaient roussis et son cuir chevelu cramé. Les morceaux de bois et les aiguilles de verre plantés dans ses avant-bras et ses cuisses inhibaient tout mouvement. Ses membres lui semblaient rompus, son dos broyé, sa nuque raidie. Il se laissa choir et dégringola sous les petits arbustes et toucha le sol. Il était vivant, c'est ce qui l'étonnait le plus. Et il perdit conscience en s'affalant sur la terre détrempée par l'orage.

Il rêvait d'une guerre au ralenti, entouré d'amazones bardées de fusils, l'aube se précisait dans le vacarme silencieux des armes automatiques. Ils ne devaient plus se dissimuler, l'ennemi avait disparu ; vaincu ou en repli. Vainqueurs, ils marchaient dans les labours gorgés du sang des morts.

La pluie ne cessait de tomber et ruisselait sur son dos moulu. Il reprit lentement ses esprits quelques instants, puis replongea dans le vide. Son cerveau, sous l'impulsion de la douleur ultime, déclencha, tel un électricien, le disjoncteur général.

Il percevait, dans un brouillard, des voix qui réclamaient de l'aide pour éteindre l'incendie. Il vit des silhouettes s'agiter, mais la température dégagée, par l'explosion de l'essence et l'embrasement général des vieilles bâtisses de bois, était tellement intense qu'il était impossible de s'approcher. De plus, les vagues de déflagrations continuaient à se répercuter contre les flancs des montagnes.

Vivre était son dernier souci. Il était vengé maintenant et couché dans la boue, il attendait l'instant fatal où la mort viendrait le délivrer. Quel était le poids de sa vie, puisqu'il avait tout perdu ? Qui pouvait imaginer qu'un rescapé survive à une telle explosion ? L'épaisse gabardine de coton détrempée par les pluies diluviennes l'avait vraisemblablement protégé des flammes et les câbles du vignoble avaient amorti sa chute. Il souleva un bras, une main, dans une immense souffrance, en respectant de courtes étapes pour s'habituer à la douleur et attendre qu'elle se dissolve ; au moins, cette articulation-ci fonctionnait encore, conclut-il ; il pressait toujours le fusil de chasse soudé dans l'autre main ; la gâchette semblait imprimée dans la chair de son index grillé.

Il entreprit de regagner, via le vignoble, l'extérieur du village en se traînant dans les sillons mous d'argile qui amortissaient la douleur. La pluie qui inondait son dos plaquait les vêtements contre ses plaies et il gémissait à chaque mouvement. Parfois, il s'allongeait dans une flaque et y plongeait les joues pour se rafraîchir, mais il avait la sensation que toute sa peau était tendue, prête à craquer. Il n'éprouvait pas de sentiment particulier ; la rage l'avait quitté, il voulait fuir cet endroit maudit.

Il avait perdu Roberta bien-aimée, et ce n'était pas le massacre de ces maffiosi qui le rendrait heureux. Il était tellement fatigué et moulu dans son être intime par la violence de la situation qu'il pensait ne plus avoir de possibilité de ressentir un quelconque sentiment.

Toute l'activité du village était concentrée sur l'incendie. En rampant, il regagna, sans rencontrer âme qui vive, sa camionnette et s'écroula sur le siège avant. Le corps agité de tremblements compulsifs, il s'accrocha au volant, lâcha toute la pression qui l'oppressait et se mit à sangloter. Il appuya la tête sur ses bras douloureux. Ses larmes roulaient sur ses joues et se mêlaient à la salive qui bavait de sa bouche grande ouverte. Son calvaire suintait de tout son corps meurtri et il mugissait son désespoir. Il percevait sur sa langue la saveur sucrée du sang de Roberta. L'âcreté de la poudre brûlée avait arraché les muqueuses de ses narines, l'horrible fadeur des peaux cramées, se conjuguait à la fumée irritante des boiseries carbonisées de la maison du vieux. L'expression odorante de la mort le dégoûtait et lui collait aux papilles. Il pressentait que jamais il ne parviendrait à s'en débarrasser. Ses cheveux, ses mains, ses vêtements embaumaient : il devait être à moitié carbonisé, se disait-il. Il crachait son dépit et la perte de ses illusions en essayant de rincer sa bouche de ses odeurs funèbres.

Le bilan de son séjour chaotique dans l'île paradisiaque lui parut amer, et il ne put retenir ses sanglots. Sa quête de la sérénité virait à l'apocalypse. Il braillait à voix haute, entre deux hoquets de douleur, entrecoupés de traits de réflexions lucides, accentués dès que l'image de Roberta effleurait ses pensées.

Il renifla, cherchant les clefs de sa camionnette. Il fouillait les débris de ses vêtements trifouillant la poche de son pantalon déchiré sans pouvoir retenir les cris de douleur que chaque contact, sur ses mains percluses de débris, provoquait.

Une voix jaillit dans le noir.

« Hai fatto un buono lavoro di Pepe »[17]

Il tressaillit, sursauta. Les événements qu'il venait de vivre étaient tellement violents, tellement envahissants qu'il avait le sentiment que ses sens étaient déconnectés, qu'il n'avait plus de contact avec l'extérieur et plus de place dans la tête pour s'en occuper. Alerte rouge qui fermait automatiquement les sas du sous-marin, imaginait-il. Il n'avait pas la force d'envisager ce nouveau problème.

« Hai fatto un buono lavoro, ma avete fatto il nostro lavoro »[18]

D'où venait cette voix grave qui se permettait de lui faisait la morale ? Il ne lui semblait pas encore être arrivé au jugement dernier, critiquait-il. Il souleva la tête du volant et scruta l'obscurité. Il distingua une présence sombre sur le siège du passager. Il était las, il ne voulait qu'une chose : rentrer dans sa ferme, se jeter dans un lit et dormir. À qui appartenait cette

---

[17] Vous avez fait un bon travail, Grand père.
[18] Vous avez fait un bon travail, mais vous avez fait notre travail.

voix ? Il ne discernait pas d'hostilité dans le ton ; au contraire, il aurait plutôt auguré un bienveillant accueil mêlé d'une pointe d'ironie. Comme si la situation prêtait à la plaisanterie, dépitait-il ! Il déchiffra le noir, y distingua une silhouette qui le regardait. Il déplaçait lentement ses mains à la recherche de la gâchette du fusil enfoncé dans la poche de sa gabardine ; mais qui pouvait être cet individu et de quel bord se réclamait-il ?

Dans sa folle course dans la montagne, sous la pluie, pendant qu'il recherchait le village du vieux, il avait fait sa propre analyse de la situation. Cela lui avait permis de tirer des conclusions et d'échafauder son plan d'action. Il était évident que la « famille » qui régentait la région avait tué Roberta. La rage immense qui l'avait envahi l'avait poussé à venger Roberta, et cette détermination passait par l'élimination du vieux. Malheureusement – ou heureusement –, il devait avoir éradiqué en même temps toute la famille des maffiosi de ce village qui s'étaient portés au secours du parrain.

C'était l'éventualité la plus plausible qu'il avait trouvée comme solution à toute l'énigme.

Mais qui était ce nouvel acteur ? Il était exténué, réfléchir lui demandait un effort intense et il ne disposait plus d'énergie suffisante, comptabilisant que ses piles étaient à plat. Il n'avait plus cure de cette aventure. La vie, sa vie, s'arrêtait là dans ce petit hameau. Qu'on le laisse tranquille ! Il avait l'intention, demain, de se rendre à la police d'Agrigento et d'y clore là, son épopée sicilienne, il en avait marre de tous ces secrets et de toutes ces interrogations. Il voulait dormir, fût-ce sur le sol d'une geôle. Il serait un assassin vite jugé puisqu'il plaiderait coupable et il finirait ses jours comme il l'avait une fois imaginé : il pensait à Caravage, à sa vie de renégat, moitié bandit, moitié artiste. Il se hissait à la hauteur de son tempérament de bandit.

Après de pesantes minutes de silence, l'autre, dans le noir, continuait dans un français impeccable.

« Maintenant, c'est fini, tu peux rentrer chez toi. Nous avons emporté Roberta et nettoyé la maison. La police ne t'inquiétera pas, tu es sous ma protection. Nous te sommes redevables. »

Il avait encore assez de force pour prendre l'inconnu par le cou, lui étrangler la gorge, lui faire rentrer ses paroles, mais ses doigts meurtris ne pouvaient plus serrer, car le moindre mouvement ou attouchement sur ses articulations écorchées et brûlées lui causait des douleurs atroces. Il n'en pouvait plus. Il ne supportait plus qu'on lui parle de cette histoire, il voulait oublier, il criait de rage.

« Tais-toi ! », beugla-t-il !

« Tais-toi ! » répéta-t-il, sans force.

L'homme saisit précautionneusement ses mains d'un geste bienveillant, dégagea délicatement l'étreinte comme s'il s'était agi d'un simple lacet.

« Tu es brave, mais tu es vieux, tu dois te reposer », dit la voix calme et reposante. « Tu n'es pas en état de conduire après tout ce qui s'est passé, donne-moi les clefs de ta camionnette ; je prends le volant et te raccompagne à ta ferme. Tu dois me faire confiance et puis tu dois te faire soigner au plus vite ; nous t'aiderons ».

Qui étaient ces « nous » dont il relevait la présence ?

« Je vais t'expliquer, tu comprendras ».

La ferme que tu as achetée, c'est notre maison. En fait, c'était celle de mes parents, les Volpino. Je m'appelle Daniello. Je suis le fils des Volpino. Roberta était ma sœur. Ma famille a été massacrée il y a des années par le gang des Salvatore dont tu viens de tuer Moranzano, dit « la bestia » et ses acolytes.

Nous aspirions à cette vengeance depuis l'extermination de notre famille, et tu as précipité les choses.

Depuis ton arrivée, nous t'observions ; tu comprends que ta présence dans notre ferme nous faisait nous poser beaucoup de questions. Nous ne pouvions pas agir à découvert, car les Moranzano continuaient à exercer leur pouvoir. Décimés, nous avions dû nous terrer de nombreuses années avant de nous refaire une santé, trouver de l'argent et des armes. La ferme a été sciemment vendue trop vite et tu comprends que nous voulions récupérer la cargaison d'armes ou au moins éviter qu'elle tombe en des mains adverses. Tu as vu les coffres ? Elles sont toujours là ?

Il acquiesça de la tête. Il se sentait liquéfié ; il avait envie que l'on coupe le courant et que cette histoire finisse. Où était l'interrupteur ? Ne vivait-il pas un rêve atroce ? N'avait-il pas inventé cela dans son sommeil ? N'était-il pas à nouveau dans son cauchemar habituel de guerre ? Il tâta le siège, palpa le bras du voisin. Tout paraissait bien réel, il vivait l'horreur dans le paradis sicilien.

Il donna les clefs à Daniello et s'affala sur le siège du passager.

« Angelina, une cousine, s'est dévouée pour faire ton ménage et en même temps, nous renseigner sur tes activités, mais tu n'en as pas beaucoup, hein, Pépé. Cela nous a rassurés ; Emilio veillait au grain en cas de besoin. Il nous a alertés, en remarquant la modification du sol de la cabane. Ton achat de ciment et sable, en son absence, et tes travaux de maçonnerie nous ont posé beaucoup de questions, mais nous ne pouvions intervenir. Puis on a découvert que tu te faisais taxer par « Di Paoli ». Oui, le motocycliste, c'était Di Paoli, le tueur bête et aveugle du clan Moranzano. »

« Jusque-là, ce n'était pas grave, peut-être pas pour toi. »

« Combien te pompaient-ils ? »

« Mais le fait que les Moranzano te faisaient cracher au bassinet signifiait pour nous qu'ils n'étaient pas au courant de la cachette, ce qui nous rassurait. »

« Pour entreprendre une opération contre les Moranzano, nous avions besoin de nos armes ; c'est alors qu'Angelina nous a suggéré d'envoyer Roberta comme professoressa puisque tu voulais apprendre l'italien. Pas vrai ! »

« Roberta avait pour mission de s'assurer que la cache était toujours intacte, que d'autres ne l'avaient pas pillée avant toi, et de faire en sorte que nous récupérions le butin. »

« Mais Roberta est tombée amoureuse de toi, ce n'était pas prévu et cela a considérablement modifié notre stratégie. Nous en avons profité pour reconstruire notre réseau, à l'abri, tandis que Moranzano, ne se doutant de rien, opérait à flanc ouvert. Roberta ne nous donnait plus d'informations puisqu'elle n'était plus disponible, Angelina ne pouvait guère nous aider. Emilio comprit tout lorsque tu lui demandas de faire les travaux d'électricité ; dès ce moment, il y avait urgence. »

« Mais, apparemment, Emilio était soudoyé aussi par les Salvatore, car je suppose que c'est lui qui a averti Moranzano de l'identité de Roberta et de ton absence hier. Nous ne savons pas grand-chose de cela, mais Emilio n'en parlera plus ! »

« Quoi, Emilio aussi ? », souffla-t-il.

« Je n'ai pas le choix de prendre de risques. »

« Nous sommes arrivés trop tard ; tu étais déjà sur place, et nous t'avons vu avec Roberta. Tu es un brave homme. »

« Mais nous n'avions pas non plus estimé ta réaction, nous t'avons suivi et avons achevé le travail, Di Paoli ne parlera plus ! »

« C'est finalement Nunziata qui nous a alertés de l'urgence de la situation ».

« Quoi, c'est qui Nunziata ? », parvint-il à articuler.

« Nunziata est ma petite sœur. C'est elle qui tient la petite épicerie du village et c'est Rinna, qu'il l'offrait en récompense à ses lieutenants les plus méritants. Très méfiant, Moranzano pouvait supposer que j'existais et que je viendrais venger l'honneur de la famille. Nunziata pouvait servir de monnaie d'échange et de chantage. Il ne pouvait supposer que lors du massacre de mes parents, j'étais en Italie et comme personne n'était au courant, il devait me rechercher partout pour m'éliminer. Roberta, dissimulée dans la cabane lors du massacre, est parvenue à s'enfuir dans la montagne et s'est cachée en lieu sûr chez des cousins, près de Marsala. Pour se protéger de toutes représailles, Moranzano tenait Nunziata en otage et la prostituait. »

« Nunziata déteste Moranzano. Nous avions retrouvé sa trace, mais secrètement avions gardé le secret tout en lui donnant les moyens de nous contacter, le moment venu. Dès qu'elle t'a vu entrer dans l'épicerie, elle a saisi qu'il se passait une chose très grave. Tes vêtements maculés de sang étaient suffisamment éloquents ; elle a pu déjouer la surveillance de son gardien, nous a prévenus. Nous n'étions pas loin. »

« Nous sommes arrivés aussi rapidement que possible, mais nous n'avons pu qu'assister à l'explosion. Je croyais que tu y avais laissé ta peau, mais tu es encore robuste, Pepe. J'avais vu ta camionnette, je pensais qu'elle serait un témoin gênant et je m'apprêtais à la faire disparaître à la ferme quand tu es arrivé. »

« Voilà, maintenant tu sais tout. Nous vivons un drame et ce drame nous unit. Nous sommes très peinés de ce qui arrive ; je perds ma sœur et, toi, tu perds ton amoureuse ; je te sens meurtri par toute cette vendetta, tu n'en as certainement pas l'habitude, hein, l'artiste ! »

« Artiste, comment sais-tu que je suis artiste ? »

« Nous nous sommes renseignés : nous avons des cousins dans ton pays. Ils nous ont raconté un peu : tu es connu là-bas ! »

« Il se moquait de lui », pensait-il !

« Tu ne dois pas t'inquiéter, on rentre à la maison »

« Bienvenue. »

Il sentit une main qui cherchait la sienne dans le noir. Il la prit mollement. Il ne savait plus à quoi penser, son cerveau débordait, c'en était trop, trop pour lui et trop pour la journée.

« Vide une bouteille de marsala s'il le faut, ajouta Daniello, mais il faut que tu dormes et oublies. »

Oublier, il était venu spécialement en Sicile pour oublier, mais généreuse, la Sicile l'avait gorgé de toutes les sensations dont elle était capable. Et puis comment oublier Roberta, dont il avait le sang en bouche et sur les mains. Jamais plus il ne se laverait afin de préserver sa précieuse mémoire dans son esprit.

« Demain, Nunziata s'installe chez toi », poursuivait Daniello, imperturbable, tandis que ses paupières, tel un rideau métallique, écrasaient ses yeux mous.

« … Si tu veux… », il pesait ses mots.

« Elle cherche un logement, car elle veut quitter le village… »

« … Et reprendre des études, des études d'art. ».

Il refusait d'entendre, se bouchait les tympans.

« Il faut aider la famille. Nunziata aura besoin de l'aide d'un spécialiste. »

Il n'avait plus la force de réagir, il s'effondra en s'abandonnant sur le siège de la camionnette qui dégringolait les routes sinueuses de la montagne.

« Tu fais partie de la famille maintenant ! »

162

Imprimé en Allemagne
Achevé d'imprimer en octobre 2020
Dépôt légal : octobre 2020

Pour

Le Lys Bleu Éditions
83, Avenue d'Italie
75013 Paris